IL EST GRAND TEMPS DE RALLUMER LES ÉTOILES

Virginie Grimaldi est l'autrice des best-sellers *Le Premier Jour du reste de ma vie* (City, 2005 ; Le Livre de Poche, 2016), *Tu comprendras quand tu seras plus grande* (Fayard, 2016 ; Le Livre de Poche, 2017), *Le parfum du bonheur est plus fort sous la pluie* (Fayard, 2017 ; Le Livre de Poche, 2018) et *Il est grand temps de rallumer les étoiles* (Fayard, 2018 ; Le Livre de Poche, 2019), *Quand nos souvenirs viendront danser* (Fayard, 2019 ; Le Livre de Poche, 2020), *Et que ne durent que les moments doux* (Fayard, 2020 ; Le Livre de Poche, 2021), *Les Possibles* (Fayard, 2021 ; Le Livre de Poche, 2022), *Il nous restera ça* (Fayard, 2022 ; Le Livre de Poche, 2023) et *Une belle vie* (Flammarion, 2023). Grâce à des personnages attachants et à une plume délicate, ses romans ont déjà séduit des millions de lecteurs et sont traduits dans plus de vingt langues. Virginie Grimaldi est la romancière française la plus lue de France depuis 2019, et son roman *Il est grand temps de rallumer les étoiles* a été élu en 2022 comme le livre préféré des Français du classement France Télévisions..

VIRGINIE GRIMALDI

Il est grand temps
de rallumer les étoiles

FAYARD

© Librairie Arthème Fayard, 2018.
ISBN : 978-2-253-10049-2 – 1re publication LGF

Elle avait des yeux où il faisait si bon vivre que je n'ai jamais su où aller depuis.

Romain GARY, *La Promesse de l'aube*

Fils des mères encore vivantes, n'oubliez plus que vos mères sont mortelles. Je n'aurai pas écrit en vain, si l'un de vous, après avoir lu mon chant de mort, est plus doux avec sa mère. Aimez-la mieux que je n'ai su aimer ma mère. Que chaque jour vous lui apportiez une joie, c'est ce que je vous dis du droit de mon regret, gravement du haut de mon deuil.

Albert COHEN, *Le Livre de ma mère*

Pour ma mère

Anna

— Anna, tu viendras me voir à la fin du service !
Faut que j'te dise un truc.

Je noue le tablier autour de ma taille et effectue un
dernier tour de salle avant que les premiers clients
n'arrivent. Je sais ce que va m'annoncer Tony, j'ai
surpris une conversation hier. Il était temps.

Depuis trois mois, l'Auberge blanche s'est hissée
en tête du classement des meilleurs restaurants de
Toulouse. Nous avions déjà du monde, maintenant,
c'est bondé. Je n'ai pas le temps de débarrasser une
table que, déjà, quelqu'un s'y installe. Je suis seule
au service, Tony consent à m'aider quand il n'a rien
d'autre à faire.

Lundi dernier, alors que j'apportais une crème
brûlée à la table 6, mes oreilles se sont bouchées,
ma vue s'est brouillée et mes jambes sont devenues
molles. Le dessert a atterri sur la tête du client et moi
dans le bureau du patron.

Il a commencé par crier, j'ai l'habitude, cela signifiait qu'il s'inquiétait. Un jour, il m'a confié qu'il était
situs inversus : il a le cœur à droite et le foie à gauche.
Manifestement, la communication est inversée aussi.

— Qu'est-ce que t'as foutu, Anna ?

— J'ai foutu que j'ai fait un malaise.

— Mais pourquoi t'as fait ça ?

— Pour faire de l'animation, quelle question ! C'était un peu calme ce soir, non ?

Il a abandonné sa colère dans un long soupir, puis il est passé à la phase empathie.

— Bon, et ça va ?

— Ça va mieux, je vais y retourner.

— Laisse, je vais m'en occuper pour ce soir. Mais t'es là demain, OK ?

— J'ai déjà manqué une seule fois ?

Il a souri. J'en ai profité.

— Je suis fatiguée, Tony. J'approche des quarante ans, je ne tiens plus le rythme. Ce serait vraiment bien que tu embauches quelqu'un.

— Je sais, je sais, tu me l'as déjà dit. Je vais voir ce que je peux faire.

Il a saisi son téléphone et appelé Estelle, sa maîtresse, pour lui confier qu'il aimerait se trouver dans sa culotte à cet instant précis. J'en ai déduit que notre conversation était terminée.

Mon voisin Paul affirme que je devrais changer de travail. Il a repris le bureau de tabac de papa, il pense visiblement que les emplois sont livrés par les cigognes, qui se sont réorientées lorsque le marché des bébés leur a été soufflé par les choux et les roses.

La vérité, c'est que je n'ai pas d'autres compétences. J'ai fait des études, pourtant, un BTS comptabilité et gestion. J'ai appris ma grossesse le dernier jour des épreuves, Mathias gagnait correctement sa vie, nous avons décidé que je m'occuperais de Chloé. Trois ans plus tard, à son entrée en maternelle, j'ai postulé à des dizaines d'offres d'emploi dans la comptabilité et l'administratif. Je n'ai décroché qu'un entretien, au cours duquel j'ai compris que je cumulais les défauts : je n'avais aucune expérience, je m'étais octroyé une pause de trois ans pour faire mumuse avec un bébé et j'avais l'outrecuidance de répondre « non » à la question « quelqu'un peut-il prendre votre enfant en charge en cas d'urgence ? ». Je n'étais pas de taille face aux nombreux candidats aguerris et surdiplômés dont la priorité n'avait pas vécu dans leur utérus.

J'ai donc accepté la proposition de Tony, un copain de Mathias qui tenait un restaurant. Pendant les sept premières années, je n'ai travaillé que le midi, cela me permettait de passer du temps avec mes filles. Jusqu'à ce que je n'aie d'autre choix que d'ajouter le soir.

Je viens de baisser le rideau lorsque Tony me hèle depuis son bureau. Je le rejoins et m'assois face à lui.

— Tu sais que je t'aime bien, Anna.

Situs inversus. Ça s'annonce mal.

— Tu bosses là depuis quoi, dix ans ?

— Quatorze.

— Quatorze, le temps file. Je me souviens encore de ton entretien, t'étais toute…

— Viens-en au fait, Tony.

Il masse ses tempes du bout des doigts et soupire.

— Estelle a perdu son boulot, je voudrais l'embaucher.

— Ah ! Je suis rassurée, je croyais que tu allais m'annoncer une mauvaise nouvelle ! Je t'avoue que je ne sais pas si c'est l'idée du siècle par rapport à ta femme, mais après tout, c'est ton problème. Elle commence quand ?

Il secoue la tête.

— Je voudrais l'embaucher *à ta place*, Anna.

L'information met plusieurs secondes à trouver le chemin de mon cerveau.

— Comment ça, à ma place ? Mais tu ne peux pas faire ça !

— Je sais, j'ai aucune raison de te licencier, quoique en cherchant bien on trouve toujours. Mais j'te ferai pas ça, tu le mérites pas. J'ai une proposition à te faire : on se sépare à l'amiable, on fait une convention, et je te donne une petite enveloppe pour te remercier.

J'ignore combien de temps je reste là, sans réaction. Assez pour penser à toutes les factures que je n'arrive déjà pas à honorer. Assez pour imaginer le frigo encore plus vide qu'il ne l'est. Assez pour comprendre que les appels des huissiers vont redoubler. Assez pour visualiser la tête de mes filles quand je leur annoncerai que leur mère est au chômage.

— Alors, t'en dis quoi ?

Je recule ma chaise et me lève.

— Va te faire foutre, Tony.

Les chroniques de Chloé

Avant toute chose, je tiens à vous remercier pour tous vos commentaires. Il y a un an, quand j'ai ouvert ce blog, je n'imaginais pas que vous seriez aussi nombreux à lire les pensées d'une ado de dix-sept ans mal dans sa peau. Merci. <3

Chloé

J'ai ajusté mon bonnet et jeté un dernier coup d'œil au miroir. Parfait. À l'abri derrière mon fond de teint et mon rouge à lèvres, j'étais prête à affronter la journée.

J'ai dévalé les trois étages en insérant le casque dans mes oreilles. En bas, la porte était encore cassée et le vent froid s'engouffrait dans l'escalier. Si seulement il pouvait emporter l'odeur de pisse.

Lily était déjà à l'arrêt de bus. Elle m'a fait un signe de la main, je l'ai ignorée et j'ai continué ma route. Ce matin encore, je ne suis pas montée avec elle.

À quoi bon aller au lycée ? Mon avenir est tout tracé. Dans trois mois, je décrocherai le bac avec mention et je m'inscrirai en fac de lettres. Je n'y mettrai jamais les pieds.

Les études, au pire, c'est payant, au mieux, ça ne paie pas.

Hier matin, maman a encore reçu un recommandé. Elle l'a caché sous ses pantalons, avec les autres, mais je ne suis pas bête. En plus de son boulot au resto, elle fait du repassage pour les voisins. Je ne peux pas continuer de vivre à ses crochets. L'année prochaine, je travaillerai.

J'ai traversé la cité en la regardant s'animer. Le matin, ça sent l'espoir. C'est peut-être le jour où tout va changer. Une rencontre. Une idée. Une solution. Un départ.

Chaque matin, j'écris dans ma tête mes rêves au crayon à papier. Chaque soir, je les efface.

Je saluais d'un geste de la main ceux que je croisais. Depuis cinq ans qu'on vit ici, je connais tout le monde. Leïla qui emmenait Assia et Elias à l'école. Mme Lopez qui buvait son café à sa fenêtre. Ahmed qui rejoignait sa voiture. Marcel qui promenait ses deux chihuahuas. Nina qui courait pour ne pas louper le bus. Jordan qui n'arrivait pas à faire démarrer son scooter. Ludmila qui s'en grillait une devant l'entrée du bâtiment D.

— Je t'attendais, elle m'a dit en ouvrant la porte.

Elle habite au septième, dans un studio. C'était la première fois que je venais. Elle m'a fait signe de m'asseoir sur le clic-clac.

— Malik m'a promis que t'étais fiable, elle a lâché en attrapant un paquet sous la table basse. Tu confirmes ?

— Je suis fiable.

— T'achètes chez qui, d'habitude ?

— J'ai jamais acheté, c'est la première fois. Je fume sur les joints des copains.

— OK. Fais voir ta bague.

Je lui ai tendu l'anneau en or, elle l'a inspecté comme si elle s'y connaissait.

— Ça vaut un dix, t'es OK ?

J'ai hoché la tête avec conviction pour cacher que j'ignorais ce qu'était un « dix ». Elle m'a montré un petit cube marron, l'a emballé dans du papier alu et me l'a glissé dans la main.

— Si on te demande, tu dis que c'est Jo qui te l'a vendu.

J'ai rangé le paquet dans mon sac à dos, au milieu des cahiers et des livres scolaires, puis je me suis dirigée vers la porte. Je m'apprêtais à la refermer quand Ludmila m'a lancé :

— Dis donc, c'est pas toi la meuf qui a gagné le concours d'écriture l'année dernière ?

J'ai fait comme si je ne l'avais pas entendue et j'ai refermé la porte.

Lily

Cher Marcel,

Samedi, pour mes douze ans, Marraine m'a offert un journal intime : toi. Elle est gentille, sûrement pour compenser ses dents de ragondin, mais là, elle a grave abusé. Déjà, j'ai jamais compris l'utilité d'un journal intime et j'ai assez de devoirs comme ça. Mais en plus, elle t'a choisi avec une couverture rose à petits cœurs. Manquait plus que les paillettes.

J'avais pas prévu de te toucher, je t'avais laissé dans la cuisine en espérant que ma mère ou ma Chloé te jetterait avec les prospectus, mais tout à l'heure il m'est arrivé un truc qu'il faut absolument que je raconte à quelqu'un et que je ne peux raconter à personne. Alors j'ai colorié ta couverture avec un marqueur rouge, j'ai ajouté un cadenas (deux précautions valent mieux que deux tu l'auras) et je t'ai trouvé une cachette parfaite, mais je ne dirai pas où. (Chloé, si tu lis ça, arrête tout de suite ou je répète à maman que tu lui piques ses soutifs.)

Au fait, tu t'appelles Marcel, j'espère que ça te plaît. C'est parce que t'es rouge, comme Marcel Musson, le chauve du premier.

Je sais pas si je vais t'écrire souvent, si c'est comme l'Eau précieuse je vais oublier deux soirs sur trois, mais je vais essayer.

Donc je te raconte.

Ce matin, j'avais mal au ventre dans le bus. J'avais même pas pu finir mes céréales au petit déj, c'était bizarre, mais je croyais que c'était à cause du contrôle d'anglais, je ne connaissais pas tous mes verbes irréguliers et ça me stressait. Sauf qu'après le contrôle, j'avais encore mal. Du coup, je me suis dit que c'était à cause du repas d'hier soir. Avec Chloé, on s'est fait réchauffer la daube que ma mère avait rapportée du resto, ça porte bien son nom, je te dis pas.

En sport, on a fait du basket. J'ai crié à Théo de me faire une passe pendant dix minutes et il m'a obéi pile au moment où je me rattachais les cheveux. J'ai rattrapé le ballon avec mon nez, qui s'est mis à couler rouge, alors le prof m'a fait sortir.

J'étais sur le bord du terrain, la tête en arrière, du papier-toilette dans les narines (y avait pas de coton), quand j'ai entendu glousser derrière moi. C'étaient deux mecs et une fille de 4e C qui étaient assis dans les gradins. Ils me regardaient tous. Un petit brun avec une tête de lavabo m'a demandé si je m'étais pris un ballon dans le cul. J'ai répondu que non, seulement dans le nez. Ils ont rigolé en fixant mes fesses, et d'un coup j'ai compris. Ça expliquait le mal de ventre, ma mère m'a raconté plusieurs fois comment

19

marchaient les règles. Il fallait qu'elles arrivent le jour où j'ai mon jogging blanc.

J'ai reculé jusqu'à la porte et j'ai longé le mur jusqu'au vestiaire. J'avais du sang partout, je savais pas qu'on en perdait autant, ma culotte, c'était une scène de crime. J'ai nettoyé comme j'ai pu et j'ai mis quelques feuilles de papier-toilette pour protéger, mais j'ai vite vu que ça ne suffirait pas, alors j'ai aplati le rouleau et je l'ai posé en entier dans ma culotte.

J'ai marché en crabe toute la journée, mon manteau attaché autour de la taille, apparemment personne n'a rien vu. Il faut que je dise à ma mère d'acheter des serviettes.

Bisous Marcel.
Lily
P-S : si ça se trouve, c'est pas mes règles, c'est une hémorragie cérébrale qui coule par le bas, à cause du ballon dans la tête, et demain je serai morte.

Anna

Tous nos petits déjeuners se ressemblent : je commence par interdire la télé, j'essaie de lancer des discussions qui se cognent contre le silence et je finis par me convaincre que river nos yeux sur le même écran est un moyen comme un autre de regarder dans la même direction.

Lily, captivée par un dessin animé, verse du lait dans son bol.

— Maman, la prochaine fois, tu pourras acheter de vraies céréales ?

— Baisse le son, s'il te plaît. Celles-là ne le sont pas ?

Elle lâche l'écran un instant et me fixe de ses deux billes vertes.

— Tu sais bien, c'est pas une marque, on dirait du polystyrène ! Faut prendre celles qui sont sur l'étagère du milieu, tout en bas c'est dégueu.

Je n'ai pas le temps de répondre, Chloé passe la tête dans l'entrebâillement de la porte, nous balance un « *bye bye !* » et disparaît. Je la rattrape à l'instant où elle s'engouffre dans l'escalier.

— Chloé, tu viens t'asseoir quelques minutes avec nous ?

Elle se retourne en soupirant. Elle a appliqué son fond de teint au pistolet.

— J'ai pas faim.

— Je sais, comme tous les matins. Mais tu peux quand même venir passer un peu de temps avec nous, non ? C'est le seul moment où on peut se voir.

— À qui la faute ? lâche-t-elle en me foudroyant du regard, avant de dévaler les marches.

Je suis encore plantée au milieu du palier lorsque l'interphone sonne. Je ne réponds pas, je n'attends personne et, neuf fois sur dix, c'est quelqu'un qui tente de me vendre des volets roulants ou un rencard avec Jéhovah.

Deux minutes plus tard, on frappe à la porte. J'approche de l'œilleton sur la pointe des pieds. De l'autre côté, un homme avec un air aussi engageant qu'une coloscopie. Je connais déjà la suite de la scène, mais je n'ai plus le choix. J'ouvre.

— Madame Moulineau ? Bonjour, maître Renard, huissier de justice, je peux entrer ?

La question est rhétorique, il se trouve dans mon appartement avant le point d'interrogation. Il consulte un dossier et en extirpe une feuille. Je ferme la porte du salon pour que Lily ne nous entende pas.

— Je suis heureux de vous voir, j'imagine que vous n'avez pas reçu mes nombreux messages ?

— Si, je les ai eus. Je suis désolée, je…

— Alors vous savez pourquoi je suis là, me coupe-t-il. Je vous remets en main propre le commandement de payer la somme de 5 225 euros au crédit de la Cefitis.

Je m'empare du document et du stylo qu'il me tend, lis en diagonale, m'appuie sur le mur et j'appose ma signature.

— Je peux vous poser une question, maître Renard ? demandé-je en lui rendant le papier.

— Faites donc.

— Si je n'ai pas réussi à honorer plusieurs mensualités, vous pensez vraiment que je vais pouvoir régler 5 225 euros d'un coup ?

Il hausse les épaulettes et esquisse un sourire compatissant.

— Je suis désolé, le créancier a été patient, mais vous n'avez pas respecté vos engagements.

— Je vous promets que je fais de mon mieux ! Je donne 110 euros par mois pour rembourser ce crédit depuis des années, sauf à trois reprises, parce que je n'ai pas pu. *Vraiment* pas pu. Ils ne peuvent pas demander le paiement intégral pour ça !

— Ils le peuvent. La Cefitis vous avait proposé un échéancier pour rattraper votre retard, vous ne l'avez suivi qu'un temps. J'aurais pu vous proposer des arrangements, mais vous n'avez pas répondu. Il est malheureusement trop tard pour discuter.

J'ai envie de protester, de supplier. De jurer que je ne suis pas de mauvaise foi, que j'essaie de le respecter, ce foutu échéancier, lui et ceux des autres créanciers, que tout ce que je gagne part dans le paiement de mes dettes, que parfois j'arrive à maintenir la tête hors de l'eau pendant des mois, mais qu'il arrive fatalement une vague qui me fait boire la tasse. Le cardan de la voiture qui lâche, ou alors c'est la machine à laver, un voyage scolaire pour Lily ou une nouvelle taille de soutien-gorge pour Chloé. Certaines personnes aiment les surprises, moi, je rêve de ne plus en avoir. J'ai envie de lui dire que cet argent, je ne l'ai pas utilisé pour m'offrir une semaine au soleil, ni pour m'acheter des bijoux. Que si je n'avais pas été vraiment acculée, jamais je n'aurais emprunté à un taux aussi délirant. J'aimerais lui dire tout cela, mais tout ce que j'arrive à faire, c'est lâcher un petit gémissement et fondre en larmes.

L'huissier est mal à l'aise, je suis mal à l'aise de le mettre mal à l'aise. Pendant que j'essaie de me ressaisir, il toussote, avance la main vers mon épaule avant de se souvenir que je ne suis pas son amie, puis feuillette ses documents.

— Je suis désolé, finit-il par reprendre.

— Et si je ne peux pas payer, qu'est-ce qui va se passer ?

Il soupire.

— Nous devrons saisir le tribunal afin de recouvrer la créance par tous les moyens à notre disposition. Croyez-en mon expérience, ce sera accepté.

— Une saisie ?

— Par exemple.

— Parfait, nous tenons la solution ! Ma voiture a bientôt vingt ans, les vitres et la troisième vitesse ne fonctionnent plus, on doit pouvoir en tirer 30 euros, il n'en manquera plus que 5 195. Sinon, je pourrais sous-louer mon appartement, un T4 dans un immeuble HLM à l'ascenseur capricieux, ça doit bien se monnayer, qu'est-ce que vous…

Je n'ai pas le temps de terminer ma phrase, la porte du salon s'ouvre sur Lily, la bouche auréolée de lait.

Elle fronce les sourcils en remarquant les larmes sur mes joues.

— Qu'est-ce que t'as ?

— C'est rien, réponds-je en m'essuyant d'un revers de main.

Elle désigne l'huissier du menton. Apparemment, elle a tout entendu.

— Pourquoi tu pleures ? C'est à cause de maître Corbeau ?

— Maître Renard, corrige-t-il. J'allais partir, je vous souhaite une bonne journée.

Il ouvre la porte, m'adresse un dernier regard et s'engage dans les escaliers. Avant que je n'aie totalement fermé, Lily glisse sa tête dans l'entrebâillement et lui lance :

— Votre plumage est pas mal, mais votre ramage pue le fromage !

Puis elle enfile sa doudoune et son sac à dos et disparaît à son tour.

Les chroniques de Chloé

Le jeudi, c'est le meilleur jour pour sécher les cours. Lily quitte le collège à dix-sept heures et maman ne rentre pas l'après-midi – elle rend visite à mémé. J'ai l'appartement pour moi toute seule, je ne suis la sœur ni la fille de personne. Je peux faire ce que je veux, recevoir qui je veux.

Je sors avec Kevin depuis six jours. Je crois que je suis amoureuse de lui. Il est gentil. Il travaille à la boulangerie en bas de la cité, il a toujours l'air content de me voir quand je passe acheter le pain en rentrant du lycée. Il n'est pas très beau, mais maintenant je me méfie des mecs beaux.

C'est vendredi dernier que notre histoire a commencé. J'ai commandé la baguette habituelle, je l'apercevais au fond, en train d'enfourner des viennoiseries. Il m'a souri et m'a fait signe de l'attendre dehors. Il est sorti quelques minutes plus tard, une cigarette coincée entre les lèvres.

— Salut, je m'appelle Kevin.

— Moi, c'est Chloé.

Il avait de la farine sur la joue et les yeux bleus.

— T'habites dans le coin ?

— Oui, bâtiment C.

— J'aime bien te voir tous les soirs.

J'ai baissé la tête et senti mes joues rougir. Je suis toujours gênée quand on me fait un compliment, c'est comme si je recevais un cadeau trop cher.

Il a saisi mon menton entre ses doigts et a relevé mon visage avec douceur.

— Je sors à vingt heures, tu viens m'attendre ?

À vingt heures, je m'étais douchée, coiffée, maquillée, j'avais essayé trois tenues, laissé Lily avec la télé en lui faisant promettre de ne rien dire à maman, et j'étais devant la boulangerie.

À vingt-trois heures, juste avant que maman ne rentre, je me suis glissée dans mon lit en me repassant le film de la soirée. Les sandwichs préparés par Kevin, le banc près de l'étang, sa cuisse contre la mienne, sa bouche sur ma bouche, sa voix qui me murmure que je suis belle, ses mains glacées qui s'insinuent sous mon pull, son bassin qui se presse contre mon ventre. J'ai dit non quand il m'a proposé de monter dans sa voiture, j'ai senti que ça l'avait déçu. Il fumait en silence, il avait les sourcils froncés, alors je me suis collée à lui et j'ai plongé la main dans son caleçon. Après, il a été tendre toute la soirée.

Ce matin, quand je lui ai appris que je disposais de l'appartement tout l'après-midi, il a immédiatement accepté de venir. Je lui ai donné le code de l'interphone, il était là à quatorze heures. Il n'avait pas de farine sur lui, c'est son jour de congé. Il m'a tendu un petit sac. Des chouquettes.

On s'est assis sur le canapé, mon téléphone diffusait une playlist romantique. J'ai posé la tête sur son épaule et je lui ai pris la main. Il a caressé ma paume avec son pouce. Il avait l'air câlin, Kevin. Pas comme ceux que j'avais connus avant, qui n'étaient intéressés que par une chose, qui prenaient sans rien donner. Ce petit geste qui semblait anodin, ce doigt qui effleurait ma main, ça signifiait que c'était peut-être le bon. Peut-être que je l'intéressais *vraiment*. Peut-être qu'il allait me combler d'amour et de tendresse, peut-être qu'on ferait des projets, que je compterais. Moi aussi, j'allais lui montrer qu'il comptait. Il ne devait pas avoir beaucoup d'opportunités de rencontres en travaillant dans une boulangerie. J'ai tourné le visage vers lui et je lui ai tendu mes lèvres. Il s'est redressé, m'obligeant à en faire de même, et a tapé ses mains sur ses cuisses.

— Alors, tu me montres ta chambre ?

Lily

16 mars

Cher Marcel,

J'espère que tu vas bien et que tu ne m'en veux pas trop de t'avoir caché derrière le radiateur. Je croyais que ma mère l'avait coupé.

Moi, puisque tu le demandes, ça va moyen. Au début de l'année, je n'avais aucun problème avec Manon et Juliette. Tout le monde les adore, déjà parce qu'elles sont jumelles (un produit acheté, un produit gratuit). En plus, leur père, c'est le cousin de la voisine du coiffeur de la mère de Kev Adams, et tout le monde aime Kev Adams, sauf les intellos qui font latin et grec, mais qui veut être aimé par ceux qui font latin et grec ?

Moi, ni je les aimais, ni je ne les aimais pas, mais j'ai arrêté quand elles ont remarqué mon existence. Tout ça parce que je me suis présentée à l'élection de déléguée, personne ne m'avait prévenue que Manon voulait être la seule. Je n'ai eu qu'une seule voix, et c'était même pas la mienne (merci Clelia), alors j'ai pas compris quand les jumelles ont commencé à devenir méchantes. Bon, vu qu'elles n'ont pas inventé l'eau du bain, ça se limite à des croche-pieds ou des boulettes de pain dans la tête à la cantine, mais je préférais quand elles ne me voyaient pas.

Pendant les vacances de Noël, j'en ai parlé à ma sœur, pas pour fayoter (je suis pas une fayote), mais parce qu'elle en avait entendu parler par le frère de Nahima (lui, c'est un fayot). Je lui ai fait promettre sur Grand Corps Malade de ne rien dire, elle a promis, mais elle est venue choper les jumelles à la sortie du collège, pauvre Grand Corps Malade. Elle leur a dit que j'étais fragile, que ça me faisait du mal, qu'il fallait qu'elles se mettent à sa place, elles feraient la même chose pour protéger leur sœur… Elles étaient toutes rouges, la tête enfoncée dans leur écharpe, elles hochaient la tête. Juliette a promis de ne plus m'embêter, Manon a dit qu'elle était désolée. Le lendemain matin, toute la classe m'appelait « la fayote » (je suis pas une fayote). C'était la première et dernière fois que je confiais un secret à ma sœ

Pardon Marcel, j'étais allée changer de stylo, il marchait plus. Bref, je me dépêche parce que « Thalassa » va commencer.

Depuis quelques semaines, les jumelles s'étaient calmées, je ne sais pas pourquoi, je ne suis pas allée demander. Jusqu'à ce matin, en cours de chimie, il fallait se mettre par deux pour faire une expérience et Mathis s'est mis à côté de moi à la place de Clelia. Le truc, c'est que Mathis est le mec de Manon, personne ne peut l'ignorer, ils passent chaque récré collés par la bouche, on dirait des poissons laveurs de vitres. Bref, je me suis retournée, Manon me tabassait du regard, je lui ai fait un petit sourire genre « t'inquiète pas, je toucherai pas », mais vu qu'elle a levé le majeur, je suppose qu'elle a cru que je la narguais.

À la récré, on était posées par terre sous le préau avec Clelia, les jumelles sont arrivées et m'ont demandé si j'avais un problème. J'ai dit non, parce que je n'en avais pas, Manon a rétorqué qu'elle, elle en avait un et qu'il s'appelait Lily. J'ai répondu que c'était trop drôle, je portais le même prénom que son problème, elle a froncé les sourcils, alors j'ai essayé de lui expliquer que j'en ai rien à faire de Mathis, que déjà j'ai d'autres objectifs que de me mettre en couple en sixième et que, surtout, ce mec pue du bec comme c'est pas permis, on dirait qu'il mange des tartines de roquefort au petit déjeuner, alors elle pouvait être tranquille. Juliette a lâché un petit rire, Manon lui a ordonné de la fermer, puis elle s'est accroupie à ma hauteur, elle a approché son visage du mien, assez près pour que je sente que le roquefort se transmettait par la salive comme la mononucléose, et elle a chuchoté que j'étais rien qu'une petite pute, comme ma sœur.

Je ne sais pas ce qui m'a pris, peut-être à cause du reportage sur les lamas que j'ai regardé ce week-end, je lui ai balancé un gros mollard dans la tronche. Juliette m'a attrapé les cheveux, Clelia a attrapé les cheveux de Juliette, Manon a attrapé les cheveux de Clelia, j'ai attrapé les cheveux de Manon, on est restées comme ça, sans bouger, jusqu'à la sonnerie, et puis on est parties en cours de géo.

Je ne sais pas ce qu'elle a voulu dire au sujet de Chloé. Je suis bien placée pour savoir que ma sœur est une conne, mais c'est pas une pute.

Bisous Marcel, bonne soirée !
Lily
P-S : je suis pas une fayote.

Anna

— Maman, c'est vert ! s'écrie Lily.

Je passe la première en lui lançant un sourire dans le rétroviseur, puis je replonge dans mes pensées.

J'ai fait le compte. Pour venir à bout de toutes mes dettes, il me faudrait 12 689 euros. J'en ai pleuré. Depuis plusieurs mois, depuis que j'ai compris que je ne m'en sortirais jamais, depuis que mon estomac fabrique des ulcères et mon sommeil des cauchemars, je me suis transformée en autruche. À quoi bon affronter un ennemi quand on sait qu'il va nous mettre K-O ?

J'ai arrêté de réfléchir à ce jour où, pour racheter les crédits que nous avions contractés à deux, et dont les mensualités étaient devenues impossibles à payer seule, j'ai souscrit un emprunt dont les intérêts étaient plus élevés que le capital. J'ai cessé de consulter mon compte bancaire, dont chaque rejet, chaque découvert, est assaisonné de frais exorbitants. Je n'ai plus ouvert les enveloppes. J'ai ignoré les appels de numéros inconnus. J'ai vécu pendant des mois en ayant anesthésié une partie de ma vie. Le réveil est douloureux. Il coûte 12 689 euros.

— On est arrivées ! hurle Lily.

Je gare la voiture devant la maison de mon père, les essuie-glaces combattant vaillamment le déluge. Sur le siège passager, Chloé est plongée dans la contemplation de son téléphone depuis que nous avons quitté l'appartement.

— Chloé, on y est.

— Trop bien.

— Fais un effort, papy est content de vous voir.

Elle hausse les épaules et détache sa ceinture. Son menton tremble.

— Qu'est-ce que tu as, ma puce ?

— J'ai rien, réplique-t-elle en fournissant un effort visible pour retenir ses larmes.

Je lui caresse la joue :

— Tu es sûre ?

— Arrête, maman, je te dis que je n'ai rien.

Elle sort de la voiture, claque la portière et rejoint sa sœur vers l'entrée de la maison en abritant ses cheveux sous son sac.

Mon père et ma belle-mère, Jeannette, nous embrassent quatre fois chacune, au cas où nous n'aurions pas compris les trois premières. Ils sourient tellement qu'on voit leurs dents de sagesse.

— On avait hâte que vous arriviez, on a quelque chose à vous montrer ! annonce mon père, effervescent.

À ses côtés, Jeannette applaudit. La dernière fois que je les ai vus dans cet état, ils venaient de se faire tatouer leurs surnoms respectifs sur le cœur. Papoute et Poupoune.

Mon père ouvre la porte-fenêtre et nous entraîne dans le jardin.

— Suivez-moi !

— Papy, il pleut, objecte Chloé.

— À peine quelques gouttes, rétorque Jeannette en nous poussant vers l'extérieur.

À l'angle de la maison, mon père nous fait signe de nous arrêter.

— Vous êtes prêtes ?

— Oui ! s'exclame Lily.

— Attends ! intervient Jeannette. On les laisse deviner ?

Il valide, surexcité. Papoute et Poupoune sont joueurs.

— Vous avez acheté un chien ? propose Chloé, au bord de la dépression.

— Un tigre ? avance Lily, mesurée.

— Une nouvelle voiture ?

— Tu chauffes, Anna ! répond Jeannette. Plus gros qu'une voiture !

— Un vaisseau spatial ? soumet Lily.

— Un camping-car ?

Les yeux de mon père clignotent. Il nous autorise à avancer, puis écarte les bras :

— Tadaaaaaam !

Derrière lui trône un imposant véhicule blanc. Il entoure les épaules de Jeannette de son bras, elle ronronne.

— On a décidé de se faire plaisir pour la retraite, on compte partir en Italie cet été. Il n'est pas neuf, mais il a à peine dix ans, on ne pouvait pas passer à côté de cette affaire. Entrez, allez visiter !

Il déverrouille la porte et nous fait monter dans leur résidence de vacances roulante, non sans nous avoir demandé d'enlever nos chaussures.

À l'intérieur, c'est petit mais fonctionnel. Il y a une chambre avec lit double, des rangements partout, un coin salon dont la banquette se transforme en couchage, une kitchenette et même une cabine de douche dans laquelle je peux certainement entrer un mollet.

Depuis l'extérieur, le front dégoulinant de pluie, Papoute et Poupoune guettent nos réactions. J'adresse un signe de la tête aux filles, qui comprennent aussitôt le message, avant de m'extasier :

— Il est vraiment sublime, vous allez y être tellement bien !

— Et ces rideaux sont de toute beauté ! enchaîne Chloé en caressant le tissu à grosses fleurs jaunes.

Lily balaie le camping-car du regard en quête d'inspiration, puis son visage s'illumine :

— C'est pratique, c'est tellement petit que vous pourrez préparer à manger en faisant caca !

Après un déjeuner gargantuesque, alors que nous passons au salon pour boire le café, Chloé part s'isoler dans la bibliothèque. Tout au long du repas, son moral a joué au yoyo, et c'était son téléphone qui tenait la ficelle. Chaque fois qu'elle le consultait, ses yeux s'emplissaient de larmes ou d'étoiles. L'adolescence est une météo instable.

Lorsque je la rejoins, elle est assise sur des coussins, *Les Hauts de Hurlevent* entre les mains.

— Comment ça va ?

— Bien, répond-elle sans lever les yeux de son livre.

Je m'assois à côté d'elle.

— Tu sais que tu peux me parler ?

Elle hausse les épaules.

— Tu le sais, Chloé ?

— Je sais, maman, mais…

— Mais quoi ?

— Rien.

— Mais quoi, ma puce ?

— Rien, ça va, maman. Tu peux juste me faire un câlin ?

Bien sûr que je peux te faire un câlin, mon grand bébé. J'ouvre mes bras et elle se blottit à l'intérieur, sa tête dans mon cou, ses cheveux qui chatouillent mon nez. Elle a encore piqué mon parfum.

Chloé a toujours aimé que je la cajole. Quand elle était petite, elle ne trouvait le sommeil que contre moi. Chaque soir, en allant me coucher, je la retrouvais dans notre lit. Cela rendait fou son père. Moi, je maugréais tout en savourant ces moments de tendresse que je savais éphémères. Il lui arrive encore de me rejoindre la nuit en prétextant un cauchemar ou un mal de ventre. Je ne râle plus, j'écarte ma couette et je lui laisse la place chaude, sans lui avouer qu'elle n'a pas besoin d'inventer une excuse.

Elle recule doucement et discipline ses cheveux avant de replonger dans sa lecture. Je me lève doucement.

— Tu sais que je suis là si tu as besoin de parler.

Je sors de la bibliothèque et tire la porte derrière moi. Elle est quasiment fermée lorsque la voix de Chloé me parvient.

— Quand tu ne travailles pas.

Anna

Chaque matin, j'arrive au restaurant en espérant que Tony aura admis que sa proposition n'est pas acceptable. Chaque soir, je le quitte en espérant qu'il sera frappé d'amnésie pendant la nuit.

Il n'oublie pas. Il n'abandonne pas.

— Alors, t'as changé d'avis ?

Planté derrière le bar, il me regarde passer la serpillière entre les tables.

— Toujours pas, Tony.

— Pourquoi tu veux pas ?

— Je te l'ai répété cent fois : à trente-sept ans, ça va être impossible de retrouver un travail.

— Mais tu le dis toi-même : c'est trop de boulot ici ! D'ailleurs, on sent que tu fatigues un peu ces derniers temps, tu t'essouffles vite, t'arrêtes pas de te plaindre.

La serpillière s'arrête net. Je me tourne vers lui.

— Ne te fous pas de moi ! Ne cherche pas un motif de licenciement, tu n'en trouveras pas, tout le monde peut témoigner de mon professionnalisme. Je me tape le boulot de deux personnes toute seule, si je fatigue, c'est parce que tu ne veux pas embaucher !

Il se sert un verre et le descend d'un trait.

— Je ne te ferai pas ça, je suis réglo. Sinon je ne t'aurais pas proposé un arrangement. J'aime beaucoup Estelle, tu sais, c'est pas juste pour le cul.

— Je ne veux pas savoir, réponds-je en tâchant de ne pas visualiser.

Les mains posées à plat sur le comptoir, il poursuit, la voix radoucie :

— C'est une fille bien, je voudrais vraiment qu'elle bosse avec moi. Elle est d'accord, à condition que je prenne sa sœur aussi.

— Sa sœur ? Tu veux dire qu'elles seront deux au service ?

— C'est le projet.

Sans un mot, je reprends le nettoyage du sol en essayant d'ignorer la serpillière qui me supplie de la lancer de l'autre côté du bar.

— Anna, c'est par rapport à ma femme que tu refuses ?

— Pardon ?

— C'est par solidarité féminine ? Ou alors tu es jalouse ?

Je lâche le manche et m'approche de mon patron, furieuse.

— Tu crois que tout tourne autour de toi, Tony ? Tu sais, tu peux coucher avec Estelle autant que tu le veux, tu peux même te taper Estelle, sa sœur, son grand-père et son hamster si ça te chante, je n'en ai rien à cirer. Ça va sans doute te dépasser, mais là je pense à moi, à mes filles, à mon avenir, à mon compte en banque. Ce n'est pas par rapport à toi que je dis non, c'est juste pour moi. Alors, s'il te plaît, arrête de m'en parler. Je n'accepterai pas.

Il se sert un second verre et le sirote en silence. Je ramasse la serpillière pour finir de laver le carrelage. Au fur et à mesure des mouvements, ma colère se dissipe, chassée par la fatigue. Je ne suis plus qu'une carcasse vide lorsque je fais le tour du bar pour récupérer mon sac à main. Mon patron n'a pas bougé.

— Bonne nuit, Tony. À demain !

— Anna, insiste-t-il. Y a vraiment rien qui pourrait te faire changer d'avis ?

Je sens mes épines se dresser, prêtes à cracher leur venin. Au lieu de cela, je me tourne vers lui et j'entends ma voix s'échapper de ma bouche :

— Il y aurait peut-être quelque chose…

Les chroniques de Chloé

Kevin ne m'aime plus. Enfin, il n'a pas vraiment dit ça, il a prétendu que j'étais trop bien pour lui, qu'il ne me méritait pas. Je suis passée devant la boulangerie une bonne dizaine de fois aujourd'hui, j'espérais le voir et en discuter avec lui. Après tout ce qu'on a vécu, j'aurais voulu plus qu'un SMS avec deux *n* à fini. Je l'ai vu, mais seulement de loin, pendant qu'il faisait sa pause. Visiblement, Clara n'est pas trop bien pour lui.

Je me suis assise dans le hall de mon immeuble en attendant la factrice et j'ai réfléchi.

Je ne comprends pas. J'ai fait la liste, je suis sortie avec sept garçons dans ma vie. Les quatre premiers m'ont plaquée parce que je ne voulais pas coucher avec eux. Les trois derniers m'ont plaquée juste après que j'ai couché avec eux. Je croyais pourtant que c'était ce qu'ils attendaient, il y avait de gros messages, pas du tout subliminaux. Pourquoi, quand je leur donne ce qu'ils veulent, ils n'en veulent plus ?

Chaque fois, j'y crois. Ils sont tendres, ils sont prévenants, ils parlent au pluriel et au futur, comment pourrais-je ne pas tomber amoureuse ?

Inès affirme que je devrais attendre, les faire mariner, leur laisser le temps de me connaître. Marion prétend que je dois mal m'y prendre au lit, qu'il y a des tutos sur YouTube pour se perfectionner. Charlotte résume que ce sont tous des porcs. Moi, je ne sais pas. Peut-être que les hommes sont comme Cendrillon, ils se transforment après l'amour.

Habituellement, la factrice du quartier, c'est Sonia, avec qui je faisais de la natation synchronisée au primaire. Elle accepte toujours de me donner le courrier au lieu de le glisser dans la boîte. Aujourd'hui, ce n'était pas elle, mais un jeune avec les cheveux bouclés. Il a appuyé son vélo contre le mur et observé les dizaines de noms d'un air perplexe. Je me suis levée.

— Si ça peut vous aider, donnez-moi ce que vous avez au nom de Moulineau.

— Ça va aller, je vais trouver, merci !

— Allez… J'attends une lettre urgente et j'ai oublié ma clé.

Il a secoué la tête.

— Je ne suis pas sûr d'avoir le droit de faire ça.

Je lui ai adressé mon sourire le plus convaincant en lui promettant que Moulineau était vraiment mon nom. Il m'a demandé ma carte d'identité, je la lui ai montrée en me justifiant :

— D'accord, je ne m'appelle pas exactement Moulineau, mes parents sont divorcés, mais c'est le nom de ma mère.

Il a regardé la photo, puis moi, puis la photo, puis moi.

— Vous êtes plus jolie en vrai.

J'ai souri, et cette fois ce n'était pas forcé.

Il a fouillé sa sacoche, en a retiré deux enveloppes et me les a tendues. J'ai gardé celle sur laquelle était apposé le tampon du lycée et glissé la seconde dans la boîte.

Je m'éloignais vers les escaliers quand il m'a appelée.

— Moulineau ! Ça vous dirait qu'on se revoie ?

Il s'appelle Lucas, il a vingt et un ans, il vient d'être embauché à la Poste grâce à sa mère qui travaille au guichet, il joue de la guitare dans un groupe et je vais au cinéma avec lui mercredi après-midi.

Je n'ai pas pris l'ascenseur, j'ai sauté les marches en courant pour que mon cœur ait une bonne raison de battre fort. Maman était partie travailler depuis une heure, son parfum flottait encore dans l'appartement. Je me suis enfermée dans ma chambre, j'ai dit bonjour à la photo de papa toujours posée sur mon chevet, celle où j'ai deux ans et où il me tient dans ses bras, je me suis allongée sur mon lit et j'ai imaginé comment ça se passera mercredi. J'espère qu'on ira voir un film d'amour.

Lily

21 mars

Cher Marcel,

Je suis désolée de ne pas t'avoir écrit depuis plusieurs jours, mais j'avais la grippe, alors je te dis pas. À un moment, j'avais tellement de fièvre que je n'osais plus m'asseoir sur les chaises en plastique. Ne t'inquiète pas, ça va mieux, même si j'ai encore un peu la voix de Garou au réveil.

Aujourd'hui, c'était la grève au collège, les profs étaient partis faire un défilé de mode dans la rue et, comme Chloé était au lycée, ma mère voulait que j'aille chez papy, mais passer la journée avec des gens de soixante ans, merci bien, je ne suis pas antiquaire. Du coup, je suis allée chez Clelia, son père était d'accord pour nous garder, mais en vrai il a surtout gardé la télé.

J'adore aller chez Clelia, déjà parce qu'elle a un chien trop mignon qui s'appelle Rocky, mais surtout parce qu'elle a des rats. C'est trop cool les rats, tout le monde croit que c'est sale alors que c'est très propre, et en plus c'est hyper intelligent. J'ai vu dans un reportage qu'ils n'ont même pas besoin de récompense pour venir au secours d'autres rats en détresse, peut-être que j'aimerais plus les gens s'ils étaient comme eux.

Les rats de Clelia s'appellent Rature et Ratiche. Elle croyait que c'étaient deux femelles, mais vu que Rature a eu sept bébés, soit Ratiche est un mâle, soit on peut tomber enceinte en mangeant des carottes (j'espère pas). J'aurais bien voulu en prendre un, mais la mort dans l'âme (pas la chanteuse) j'ai dû refuser. Une fois, quand j'étais petite, on a vu une souris dans l'escalier. Ma mère a hurlé tellement fort que mes tympans se sont suicidés pendant quelques minutes, puis elle a descendu les escaliers comme si elle avait des skis. C'est pour ça que je vais chez Clelia dès que je peux, on prend Ratiche et Rature sur nos épaules et on va se promener, ils viennent boire sur notre langue en posant leurs petites pattes sur nos lèvres, c'est trop mignon.

Après, je suis rentrée pour faire mon exposé sur les aurores boréales, Chloé était encore enfermée dans sa chambre à écouter de la musique, elle n'a pas répondu quand j'ai frappé et elle n'est pas sortie pour manger le gratin de pâtes que ma mère nous avait préparé avant de partir.

Maintenant, je vais aller me coucher, parce que je sais pas toi, mais moi je suis crevée. Je me brosserai les dents demain, j'espère que ma mère ne le sentira pas quand elle viendra me faire un bisou en rentrant.

Bisous Marcel, et bonne nuit !
Lily
P-S : j'ai froid aux pieds alors j'ai passé le sèche-cheveux sur mes draps, mais le temps que j'aille le reposer, ils avaient refroidi.

Anna

Je suis au chômage. Depuis que je suis réveillée, je me répète cette phrase en boucle, comme pour m'en convaincre. Il est bientôt midi, je me suis recouchée après le départ de Chloé et Lily pour l'école. Il y avait longtemps que je n'avais pas traîné au lit, que je n'avais pas pris le temps. C'est agréable, mais il ne faut pas que j'y prenne goût. Dès cet après-midi, je commencerai à chercher un nouvel emploi. Lorsque j'en aurai trouvé un, et seulement alors, je parlerai aux filles. Inutile de les angoisser, je le fais très bien pour trois.

Tony n'a pas accepté ma proposition immédiatement. Il a d'abord ricané, jusqu'à ce qu'il comprenne que j'étais sérieuse. Soit il cédait, soit je restais. Il ne m'a pas adressé la parole pendant deux jours, et puis, hier soir, il m'a tendu une enveloppe.

— Tu m'as bien dit que tu préférais des espèces ?

Il y avait des billets de toutes les couleurs, j'avais l'impression de tenir la banque au Monopoly. Je l'ai suivi dans son bureau, nous avons signé la rupture conventionnelle, et il m'a fourni tous les documents de fin de contrat.

— C'était ton dernier jour aujourd'hui, a-t-il ajouté. Je te dispense du préavis.

— Je ne suis pas sûre qu'on puisse faire comme…

— Anna, avec la somme que je viens de te donner, tu ne vas quand même pas m'emmerder ?

J'ai baissé la tête, ma gorge s'est nouée. C'était la dernière fois que je me trouvais là. Je n'avais même pas eu le temps de dire au revoir aux clients fidèles, à André et Josiane qui venaient chaque mercredi depuis dix ans, la table près de la fenêtre, à Bertrand, Jamel et Dylan qui prenaient le menu express tous les midis et laissaient toujours quelques pièces en plus des tickets restaurant, à Marlène qui venait siroter un café, tous les soirs, pour différer de quelques minutes la solitude.

— Bon, ben merci Tony. Tu sais, c'était dur, mais j'aimais travailler ici.

J'ai cru voir ses yeux briller. Il s'est détourné vers l'entrée.

— Je sais, t'as fait du bon boulot. Allez, c'est pas tout ça, faut que je ferme, ma femme va m'attendre !

Dehors, il faisait froid. Tony a commencé à rabattre la porte, puis il a déposé un baiser maladroit sur ma joue.

— J'espère que tu trouveras quelque chose de bien.

Je n'ai pas pu répondre, j'ai rejoint ma voiture en ordonnant à mes larmes de rester chez elles.

Dans la voiture, j'ai compté les billets.

Pas de quoi acheter un château, mais assez pour rembourser toutes mes dettes et, en se serrant la ceinture, ne plus craindre les huissiers pendant deux ou trois mois. Avec de la chance, je trouverais peut-être un travail mieux payé, qui me permettrait d'avoir des revenus supérieurs à nos dépenses. Finalement, cette fin de contrat était peut-être une bonne chose, ai-je songé en démarrant.

Depuis, l'angoisse s'est invitée. Et si je mets des mois à trouver un emploi ? Et si je n'en trouve jamais ? Et si on finit à la rue ?

Je me lève avant que les pensées négatives n'aient raison de ma volonté. Je retire mes bouchons d'oreilles, enfoncés ce matin, lorsque le voisin du dessus s'est pris pour Mariah Carey qui aurait mangé Garou, et je quitte ma chambre.

Je referme la porte-fenêtre du salon en soupirant. Lily la laisse systématiquement ouverte, hiver comme été, comme si la fonction « remonter la poignée » avait été gommée de son cerveau. Les assiettes sales de la veille sont encore sur la table basse. Si je les range, les filles vont continuer de penser que c'est mon rôle. Si je les laisse, dans un mois, la pièce est condamnée. Je pousse la porte des toilettes en me promettant de trouver un moyen de les faire participer aux tâches ménagères quand un cul, un cul tout blanc et inconnu, apparaît sous mes yeux. Un homme nu est en train d'uriner dans mes toilettes.

— HAAAAAAAAAAAAAAAAAAAAAA-AAAA ! dis-je.

— HAAAAAAAAAAAAAAAAAAAAAAA-AAAAAA ! répond le cul.

Je referme et tiens fermement la poignée pour l'empêcher de sortir, tout en continuant de crier. Je suis en train de me demander comment prévenir la police avec mon téléphone dans la chambre quand Chloé débarque en courant, échevelée.

— Chloé, n'approche pas, il y a un type tout nu dans nos toilettes !

Elle rougit. Je comprends.

— Chloé ? Qu'est-ce que tu fais là, tu n'es pas au lycée ?

Pas de réponse. En ai-je vraiment besoin, sachant que ma fille est en culotte ?

J'ouvre la porte des toilettes, le cul s'enfuit vers la chambre de Chloé sans demander son reste. Deux minutes plus tard, il s'est couvert et a quitté l'appartement. Je reste seule un moment, à tenter de calmer mes tremblements et d'assimiler la douloureuse information : ma fille n'a plus cinq ans, puis je la rejoins.

— Tu ne comptes pas m'expliquer ?

Allongée sur son lit défait, elle fixe le plafond. Ses joues sont inondées.

— Chloé, réponds-moi. C'est ton copain ? Depuis longtemps ? Tu n'avais pas cours ?

Je m'approche d'elle et m'assois à ses côtés. Elle se jette dans mes bras, le corps secoué de sanglots. Je la repousse fermement.

— Chloé, il faut que tu me parles. Depuis quand tu couches avec ce garçon ? Qu'est-ce que tu fais à la maison ?

Elle essuie ses larmes, s'assoit contre le mur, rassemble ses jambes contre son buste et plante ses yeux dans les miens :

— Et toi, qu'est-ce que tu fais à la maison ?

Les chroniques de Chloé

Lucas ne répond plus à mes messages. Je lui ai promis que je ne savais pas que ma mère était là, que ça ne se reproduirait pas, il fait le mort.

J'ai attendu sur le balcon qu'il passe distribuer le courrier, mais il a été envoyé dans un autre quartier parce que Sonia a repris le boulot. Je serais bien allée le voir, mais je suis punie. Maman m'autorise juste à aller au lycée et sur le balcon, c'est l'enfer. En plus, maintenant, elle est tout le temps là. C'est limite si je ne dois pas demander la permission pour aller aux toilettes. J'aimerais accélérer le temps et me retrouver dans trois mois, trois semaines et un jour pour être majeure.

C'est la première fois de ma vie que je suis consignée. C'est dur, mais il y a pire : maman n'a plus confiance en moi. Je l'ai déçue.

Elle m'a posé des tas de questions, elle voulait tout savoir. Je ne répondais pas, alors elle a fouillé mes affaires. Et quand on cherche, on trouve.

Quand elle a découvert la boîte de préservatifs, elle est devenue blanche.

Quand elle a repéré la plaquette de pilules, elle est devenue rouge.

Quand elle est tombée sur le bout de shit, elle est sortie de ma chambre.

Je suis allée la rejoindre plus tard, dans la soirée. Elle regardait la télé avec Lily. Elle avait les yeux rouges. Je lui ai dit que j'étais désolée. Elle a ouvert les bras, je me suis pelotonnée contre elle. Elle m'a caressé la tête, j'entendais son cœur qui battait vite.

— Parle-moi, ma puce, elle a chuchoté. Dis-moi ce qui ne va pas. Comment je peux t'aider ?

Je n'ai pas répondu. Je ne sais pas ce qui ne va pas. Je ne sais pas comment elle peut m'aider. Je me suis juste mise à pleurer, fort, longtemps.

Plus tard, maman est venue me faire le dernier bisou dans mon lit. Elle m'a dit qu'elle ne pouvait pas rester sans rien faire, qu'elle ne pouvait pas me laisser me détruire comme ça. Elle a ajouté que ce n'était sans doute pas une solution, mais qu'elle allait me punir, pour me protéger.

— Tu peux pas m'empêcher de sortir, j'ai répliqué.

— Si, Chloé. Je suis ta mère, tu es mineure, je peux tout à fait t'empêcher de sortir.

La rage a tordu mon ventre.

— Tu veux que je me suicide, c'est ça ?

J'ai vu la peur passer dans son regard, mais elle m'a fait une bise sur le front et elle a quitté ma chambre. Je me suis endormie en pleurant, la photo de papa contre moi.

Lily

25 mars

Cher Marcel,

Tout à l'heure aux infos, ils ont dit que c'était la journée de la procrastination. Alors je t'écrirai demain.

Bisous
Lily

Anna

Le proviseur du lycée de Chloé s'appelle Martin Martin. En l'attendant devant son bureau, je m'interroge sur ce qui a pu passer par la tête de ses parents lorsqu'ils ont choisi son prénom. Deux options s'imposent : soit ils n'aimaient pas leur fils, soit ils étaient bègues.

— Madame Moulineau, vous pouvez entrer !

L'homme, âgé d'une cinquantaine d'années, me tient la porte. Je lui serre la main et m'installe sur le siège qu'il m'indique.

— Je suis heureux de vous rencontrer enfin, déclare-t-il en s'asseyant à son tour.

— Enfin ?

— Oui, depuis le temps que je souhaite vous voir. C'est bien à propos de Chloé ?

Un sentiment désagréable m'envahit, il précède généralement les mauvaises nouvelles. Je fais part au proviseur de mes inquiétudes, il m'écoute attentivement, les mains jointes sous son menton. Les derniers bulletins de Chloé étaient excellents, les professeurs louaient autant son travail que son comportement. Je me suis souvent considérée comme chanceuse d'être la mère d'une enfant si facile. Elle s'adaptait au monde qui l'entourait à la manière d'un caméléon, avec aisance et curiosité. Depuis quelque temps, le caméléon semble figé sur la même couleur, et elle est plutôt sombre. Je me sens démunie. Le proviseur ou un enseignant a peut-être remarqué quelque chose ?

Martin Martin hoche la tête plusieurs fois et réajuste ses lunettes.

— Vous n'avez pas reçu mes courriers ? demande-t-il.

— Vos courriers ?

— Bien. Je trouvais surprenant que vous ne répondiez pas, mais Chloé m'assurait que vous travailliez beaucoup. Je vous ai envoyé de nombreuses lettres. Votre fille a cumulé les absences ces dernières semaines, elle est complètement démotivée. Je l'ai convoquée plusieurs fois pour tenter de comprendre, elle assure que tout va bien. Y a-t-il eu un événement qui expliquerait ce changement de comportement ?

Ses mots rebondissent sur mon cerveau.

— Vous êtes sûr que vous parlez de ma fille ? Chloé Leroy ?

Il est sûr. Pendant trente minutes, il énumère les absences, les insolences, il me fait lire des mots d'excuse au bas desquels apparaît ma signature, il me parle de ma fille, ma douce, ma sensible Chloé, et j'ai l'impression qu'il me décrit une étrangère. Une étrangère sur le point de foutre sa vie en l'air.

Mon effarement doit se lire sur mon visage, Martin Martin me tend un mouchoir. J'attrape le paquet.

Il est vide, de même que ma citerne de larmes, lorsqu'il me raccompagne à la porte en me souhaitant bon courage.

Je conduis plusieurs minutes sans but. Cette journée n'était pas censée se dérouler ainsi. J'avais prévu un bon dîner avec les filles pour fêter la fin des soucis : maître Renard m'a accordé un rendez-vous la semaine prochaine pour régler mes dettes. Je devrais être légère, pas peser des tonnes. Comment ai-je pu ne rien voir ? Je pensais que Chloé ne me cachait rien. Elle doit se sentir tellement seule. Elle doit aller tellement mal. Sans réfléchir, je me gare à cheval sur le trottoir et m'empare de mon téléphone.

Il répond au bout de trois sonneries.

— Salut, c'est Anna.

— Salut Anna, c'est bon de t'entendre. Tu vas bien ?

Sa voix douce fait jaillir des milliers de souvenirs. Je m'éclaircis la voix.

— Pas vraiment. Chloé a quelques soucis, je pense que je dois t'en parler.

— Tu as bien fait. Je t'écoute.

Je lui raconte. Les larmes, les silences, les absences, les mensonges, les garçons, le lycée. Je n'omets que le cannabis, incapable de le mentionner à voix haute.

— Ce sont des appels à l'aide, elle va mal. Elle doit se sentir seule, entre moi qui travaillais trop et toi qui vis à Marseille.

— Tu n'as pas à te sentir coupable, Anna, tu fais de ton mieux. Et moi aussi. Je les appelle sur Skype au moins une fois par semaine et je les prends aussi souvent que possible.

— Ça fait plus d'un an qu'elles ne t'ont pas vu.

Il marque une pause de plusieurs secondes.

— Je sais, je sais, j'en suis malade, reprend-il. Ma mère est trop fatiguée en ce moment, je ne peux pas les recevoir chez elle. Si seulement j'avais les moyens de me payer le voyage… Elles me manquent beaucoup, tu sais.

Sa voix se brise. Il prend une longue inspiration saccadée.

— Parfois, je regrette d'être parti si loin. J'aurais sans doute dû réfléchir avant, mais c'était une question de survie. Je ne pouvais pas rester à côté en sachant que tu ne voulais plus de moi.

— Bon, je vais te laisser, Mathias.

Mon cœur a accéléré, mes mains deviennent moites, je connais trop bien ces symptômes.

— Anna, tu n'as qu'un mot à dire pour que je plaque tout ici.

— Je te demande juste d'essayer de voir tes filles. Elles n'ont pas à payer pour tout ça.

— Nous non plus.

— Je te laisse, bonne journée, Mathias.

Sa voix s'échappe encore du téléphone lorsque je raccroche. Mes oreilles bourdonnent, des picotements envahissent ma mâchoire. Je ferme les yeux et prends une courte inspiration, puis je souffle longuement, comme me l'avait enseigné le psychiatre que j'avais consulté après ma première attaque de panique. Courte inspiration. Longue expiration. Courte inspiration. Longue expiration. Mon cœur ralentit. Courte inspiration. Longue expiration. Les tremblements s'apaisent. Courte inspiration. Longue expiration. Courte inspiration. Longue expiration. La menace est passée.

Je me sens prête à reprendre la route quand le téléphone sonne. Numéro inconnu. Je décroche.

— Madame Moulineau ?

— Oui.

— Bonjour madame, Martine Laroche, CPE du collège Émile-Zola. Il faudrait que vous veniez au plus vite, nous avons un problème avec Lily.

Lily

30 mars

Dear Marcel,

How are you ? (j'ai eu cours d'anglais ce matin).
Moi, je vais à peu près bien, sauf que ma mère est
relou depuis qu'elle est tout le temps à la maison. Elle
l'était peut-être avant, mais vu qu'on la voyait moins,
ça se voyait moins, c'est mathématique.

Elle est gentille, d'accord, mais elle veut tout le
temps que je débarrasse la table, que je fasse mon lit,
que j'ouvre mes volets, que je tire la chasse, je crois
qu'elle m'a prise pour Cendrillon ! Et maintenant,
elle s'est mis dans la tête que j'étais harcelée au collège, tout ça pour un détail.

Je te raconte, tu me diras ce que t'en penses.

Tout a commencé en cours de géo. Avec Clelia,
on présentait notre exposé sur les aurores boréales,
le prof avait l'air content, enfin on suppose vu qu'il
a la même tête quand il est content que quand il est
en colère. En tout cas, il ne s'est pas endormi et c'est
plutôt bon signe.

On avait bien bossé, faut dire qu'on a eu de la chance de tomber sur ce sujet, même maman et Chloé ont trouvé ça canon, pas comme Juliette et Manon qui ont dû faire des recherches sur la toundra. On avait préparé un diaporama, toute la classe kiffait, et Manon a décrété que c'était trop facile d'avoir une bonne note avec ça. M. Vanier a rétorqué que seule la qualité du travail serait jugée, qu'il ne se laisserait pas influencer par le thème, mais Juliette a marmonné que, comme par hasard, c'était la fayote qui avait le meilleur sujet (je suis pas une fayote). Je ne sais pas pourquoi, je me suis sentie visée et j'ai dit qu'il valait mieux être une fayote qu'une jalouse. Là, Manon a balancé que, vu ma gueule de cochon d'Inde, y avait pas de quoi être jalouse et j'ai répliqué que je préférais avoir une tête de cochon d'Inde qu'une tête de gondole. Le prof nous a ordonné d'arrêter, on a fini notre exposé et on est allés en cours de maths. C'est là que c'est arrivé. Je n'ai rien vu venir, j'ai juste senti qu'on m'attrapait les cheveux par-derrière.

Quand ma mère est venue me chercher dans le bureau de Mme Laroche, elle avait la même tête que quand elle va éternuer. Faut dire qu'elle ne m'a pas loupée, la Manon, je lui demanderai la marque de ses ciseaux. Clelia dit que c'est original, ça fait comme une frange derrière la tête, moi, ça ne me fait ni feu ni flamme, ça va repousser. Mais ma mère est persuadée que je suis victime de harcèlement, que c'est très grave, qu'il ne faut pas en rester là, et, depuis, elle n'arrête pas de me donner des bisous et des surnoms d'animaux (j'ai une tête de puce ?).

Manon va passer en conseil de discipline, j'espère qu'elle ne se fera pas virer.

Alors, Marcel, t'en penses quoi ? Je vais te fermer et te lancer en l'air. Si tu retombes ouvert, c'est que t'es d'accord avec moi, si tu retombes fermé, c'est que t'es d'accord avec ma mère.

Bon, t'es retombé fermé. Je le savais que t'étais un fayot.

Pas bisous.
Lily
P-S : je t'aime bien quand même.

Anna

Ma grand-mère m'attend dans sa chambre, comme chaque jeudi. Elle a mis du rose sur ses joues et son parfum préféré. Sur un plateau, elle a préparé deux verres et une bouteille de limonade. Je me baisse et l'embrasse.

— Comment vas-tu, ma Nana ? s'enquiert-elle.

— Bien, mémé, et toi ?

Elle plisse les yeux et me dévisage jusqu'à ce que j'avoue. Je ne peux rien lui cacher, mémé est un détecteur de mensonges.

Je m'assois au pied de son lit et lui narre la semaine chaotique qui vient de s'écouler. Je dépose à ses pieds ces sacs trop lourds pour moi.

— Je sens qu'elles ont besoin de moi, mais je ne sais pas comment les aider. Si je m'écoutais, je plaquerais tout et je les embarquerais loin d'ici !

Elle repose son verre et tapote une serviette sur sa bouche.

— Eh bien, fais-le.

— Comment ça ?

— Écoute-toi, pour une fois. Suis ton instinct. Tu as envie de partir, pars. Ce n'est peut-être pas la solution, mais en vois-tu une autre ?

— Mais je ne peux pas, mémé !

Elle balaie mes protestations d'un revers de main.

— Qu'est-ce qui t'en empêche ? Si c'est l'argent, tu n'as qu'à prendre ce que t'a donné ton patron, tu auras tout le reste de ta vie pour payer tes dettes. Je n'ai pas grand-chose, mais je peux aussi t'aider un peu.

Je scrute le visage de ma grand-mère en attendant qu'elle se félicite, hilare, du bon tour qu'elle vient de me jouer.

— Pas la peine de me regarder comme ça, bougonne-t-elle, je ne suis pas en train de faire une attaque !

Je secoue la tête en riant.

— Mémé, je ne peux pas partir. Il n'y a pas que l'argent, il y a aussi l'école des filles, ma recherche de boulot, bref, c'est impossible. De toute manière, je ne saurais même pas où aller...

— Je suis sûre que tu trouveras. Tu m'as parlé des aurores boréales, non ? réplique-t-elle avec un clin d'œil.

— Allez, fin de la conversation ! Tu veux qu'on aille se balader ?

— Avec plaisir ! Je n'en peux plus de ces murs.

Je me lève, saisis les poignées de son fauteuil et la conduis à travers les couloirs de la maison de retraite où elle réside depuis qu'elle a perdu l'usage de ses jambes. Dans le jardin, le vert a repris ses droits après plusieurs mois de brun. De petits groupes de personnes âgées profitent du retour du soleil.

— Ça passe vite, tu sais, me souffle mémé.

— Pourquoi tu me dis ça ?

— Parce que je t'aime, ma Nana.

Ma gorge se noue. Moi aussi, je t'aime, ma petite mémé. Je t'aime tellement que c'est une torture chaque fois que je viens te rendre visite. Je t'aime tant que ça me rend malade d'assister à ton effacement progressif, de savoir que bientôt tu auras totalement disparu. Je t'aime au point de chialer la nuit à m'en faire brûler les yeux, de crier en silence en pensant à toi, à toutes ces années où tu étais debout, où tu étais forte, plus forte que le deuil, plus forte que le cancer, où tu étais jeune, toutes ces années où tu t'es occupée de moi, où tu étais mon refuge, mon pilier, mon tout.

J'avale mon chagrin et enfile un sourire.

— Ma Nana, je peux te demander quelque chose ?

— Je t'écoute, mémé.

— Si jamais tu vas voir les aurores boréales, tu pourras me rendre un service ?

Les chroniques de Chloé

Inès m'a appris que, l'autre jour, elle a croisé maman qui sortait du bureau du proviseur. Elle pleurait. Ce soir, je lui ai interdit d'entrer dans la cuisine et j'ai préparé un poulet aux olives. On a mangé toutes les trois, maman, Lily et moi, sans la télé et sans les téléphones. Il y a eu beaucoup de blancs, mais on a aussi parlé. Du travail que maman aimerait trouver, de la nouvelle coupe courte de Lily, des aurores boréales, du vol de vélos dans la cave, de la sauce qui ressemblait davantage à une purée. Au dessert, j'ai jugé que c'était le bon moment pour annoncer la nouvelle.

— Je vais arrêter le lycée.

Lily a cessé de souffler sur son yaourt pour le réchauffer. Maman a reposé sa cuillère pleine.

— Comment ça, tu vas arrêter le lycée ? elle a articulé. Tu ne veux plus aller à la fac ?

— Non, je préfère arrêter maintenant. Ils embauchent à la cantine de l'école maternelle, la mère d'Inès peut me pistonner.

— Et ton bac ?

J'ai haussé les épaules, mais mes yeux ont continué à fixer la table.

— Ça sert à rien. De toute manière, il faut que je bosse, que je gagne de l'argent.

Maman n'a plus prononcé un mot. Elle a quitté la cuisine sans finir son fromage blanc. Je savais qu'elle serait déçue, mais, un jour, elle comprendra. C'est pour elle que je fais ça. Mon rêve à moi, c'est de partir vivre en Australie, comme papa quand il était jeune. J'ai passé des heures à me documenter, j'ai même commencé à remplir le dossier pour obtenir un Working Holiday Visa et m'envoler dès ma majorité. Je pourrais trouver un job de serveuse dans un restaurant, ils adorent les *Frenchies*, ce serait fabuleux de gagner ma vie en apprenant l'anglais. Peut-être même que je pourrais y faire carrière et payer les billets d'avion pour que ma famille vienne me voir.

Mais je ne peux pas laisser maman.

Il faut que quelqu'un l'aide à honorer ses factures. Elle tente de nous le cacher, mais je vois bien qu'elle ne s'en sort pas. Maintenant qu'elle est au chômage, je ne peux plus attendre. Il vaut mieux une personne qui se sacrifie que trois qui coulent.

Maman est revenue dans la cuisine peu de temps après, on n'avait pas bougé. Elle s'est postée sous la lumière, les bras croisés. Je n'avais jamais remarqué que ses cernes étaient aussi creusés. Elle a attendu qu'on la regarde et elle a dit, d'un ton qui voulait dire « c'est moi la mère » :

— Allez faire votre valise, on s'en va.

Anna

Maître Renard n'a pas apprécié que je repousse notre rendez-vous. J'ai prétexté un problème familial, ce qui n'était pas tout à fait faux, et je lui ai promis de le recontacter au plus vite.

La CPE du collège de Lily n'a pas été la plus difficile à convaincre. Elle a admis que je ne pouvais pas laisser ma fille dans cette situation et m'a fourni tous les documents nécessaires.

Le proviseur du lycée de Chloé m'a longuement questionnée. J'ai improvisé. Martin Martin est resté sceptique, mais a admis qu'il n'avait aucun moyen de m'empêcher de mener à bien ce projet.

Ma grand-mère m'a félicitée. Il y avait longtemps que je n'avais pas aperçu cette étincelle dans son regard, surtout au moment où elle a détaillé le service qu'elle aimerait que je lui rende.

Mon père et Jeannette, que j'imaginais les plus aisés à persuader, m'ont valu plus d'une heure de débats. Finalement, l'argument qui les a fait céder est le même qui m'a décidée.

« Papa, pour une fois dans ma vie, j'ai le choix. Avec l'argent, je peux payer mes dettes. Ou alors, je peux venir en aide à mes filles. »

Lily

3 avril

Cher Marcel,

Je crois que ça y est, cette fois ma mère a pété les plombs. Je t'écris du siège passager du camping-car de mon grand-père, quelque part en Allemagne.

Depuis ce matin, elle conduit, on s'est juste arrêtées pour manger un sandwich sur une aire d'autoroute. Il y avait des policiers en uniforme, j'ai failli leur sauter dessus pour leur demander de l'aide, mais je sais pas comment on dit SOS en allemand, alors j'ai mangé mon sandwich en français.

Hier soir, elle nous a dit de préparer une valise, j'ai cru qu'elle voulait qu'on aille voir notre père, j'étais dégoûtée, j'ai rien à lui raconter au Marseillais, déjà que je suis obligée de lui parler sur Skype. Mais quand elle a précisé de prendre des affaires chaudes, j'étais soulagée. J'ai insisté pour savoir où on allait (je veux bien être gentille, mais je ne veux pas être la risée de la farce), elle a annoncé qu'on allait voir les aurores boréales en Scandinavie. Elle est devenue dingue, je te dis. Je suis sûre que c'est à cause de mon exposé. Heureusement qu'il n'était pas sur les trous noirs.

Ce matin, on est passées dire au revoir à mon arrière-grand-mère. Elle a donné une boîte à ma mère, apparemment dedans c'est une urne avec son mari. Elle lui avait promis de le jeter tout en haut de la Norvège, au cap je sais plus quoi, parce qu'ils y étaient allés ensemble, mais elle n'en a jamais eu le courage, et maintenant elle ne peut plus à cause de ses jambes. Donc elle a demandé à ma mère de le faire pour elle. J'ai pas connu pépé, mais il devait être vraiment petit pour entrer là-dedans.

Après, on est allées chez mon grand-père, il nous a expliqué comment marchait son camping-car, j'ai pas tout suivi sauf le truc des toilettes, là. Il y a comme un caisson qu'il faut vider quand il est plein. Je peux te dire que je préfère faire mes besoins par la fenêtre à toute allure sur l'autoroute plutôt que de vider ce machin.

Comme je ne suis pas sûre de revenir vivante, je vais en profiter pour faire mon testament, tu le transmettras aux croque-morts si besoin.

Je soussignée Lily, sainte de corps et d'esprit,

Lègue ma collection de pierres et minéraux à Clelia, je sais qu'elle s'en occupera bien.

Lègue mon bracelet brésilien violet à Ratiche et mon bracelet brésilien vert à Rature.

Lègue mon dictionnaire à Manon et mon Eau précieuse à Juliette.

Lègue mes livres de *Picsou* à ma mère, si elle est toujours vivante.

Lègue mes dents de lait à ma sœur, si elle est toujours vivante.

Fais le souhait de ne pas avoir mon père à mon enterrement. Je veux qu'on mette sur ma tombe la photo où je suis avec Brownie, ma chienne de quand j'étais petite. Surtout pas une photo récente, parce que même si je m'en fiche d'avoir une coupe de Playmobil, je fais quand même moins peur avec les cheveux longs.

Voilà, Marcel, j'espère que ce n'est pas la dernière fois que je t'écris, mais, si jamais, j'étais contente de te connaître, t'étais un journal sympa. Oh, c'est pas vrai ! Ma mère vient de mettre un CD de Céline Dion !

Bisous Marcel.
Adieu, peut-être. Cœur avec les doigts.
Lily
P-S : faut vraiment que j'apprenne à dire SOS dans toutes les langues.

Les chroniques de Chloé

Je croyais qu'on irait juste faire un petit tour, qu'on partirait deux ou trois jours et qu'on reprendrait notre vie là où on l'avait laissée. Mais quand maman a annoncé qu'on partait en Scandinavie, j'ai compris qu'elle avait oublié sa raison à la maison.

La confirmation est arrivée au passage de la frontière allemande, lorsque j'ai reçu un message m'informant que je ne disposais pas d'un forfait international. Maman m'a rassurée : elle en avait un, elle. J'étais en train d'installer Facebook, Instagram, Twitter, Snapchat et l'application pour gérer mon blog sur son téléphone quand elle a brisé tous mes rêves.

— Dix minutes par jour, pas plus.

— C'est-à-dire ?

— C'est-à-dire que le but de ce voyage est de passer du temps ensemble, de découvrir d'autres paysages, d'autres cultures, pas de rester le nez collé à un écran.

On roulait derrière le même camion depuis une bonne heure. À droite, il y avait des arbres, à gauche, il y avait des arbres, niveau paysages on était à fond dans la découverte.

Lily a tapoté son index contre sa tempe. Si même elle pense que maman est devenue folle, c'est grave.

J'ai essayé de négocier.

— Une heure ?

— Dix minutes.

— Deux heures ?

— Chloé, arrête.

— Mais maman, toi, tu pourrais pas vivre sans oxygène ? Eh ben, moi, c'est pareil !

Elle a gloussé, Lily aussi. Après un long combat, j'ai réussi à obtenir une demi-heure. Peut-être que je survivrai.

En fin d'après-midi, on est arrivées à Cologne, où maman a décidé qu'on passerait la nuit. On s'est installées dans un camping au bord du Rhin et elle a absolument voulu qu'on aille visiter la ville. J'ai accepté avec plaisir : on trouve forcément des cyber-cafés à Cologne.

La dame du camping nous a prêté des vélos et nous a indiqué le chemin, en nous assurant que ce n'était pas loin. On a longé le fleuve pendant plus d'une heure, en comptant les pauses imposées par ma mère, soi-disant pour admirer le paysage. Comme si on ne voyait pas qu'elle était rouge comme son tee-shirt et qu'elle respirait comme un aspirateur. Avec Lily, on a fait exprès de pédaler vite, ça nous a fait rire.

On a attaché les vélos et marché au hasard jusqu'à ce que la nuit tombe. La ville s'est illuminée, c'était beau. Il était tôt, on s'est acheté des bretzels pour tenir jusqu'au dîner. Lily voulait absolument une bouteille d'eau, mais, une fois qu'elle l'a eue, elle a refusé de l'ouvrir, arguant qu'elle préférait la garder en souvenir. Maman s'en est étonnée.

Lily a haussé les épaules, comme si la logique nous faisait défaut, et a répliqué :

— Ben oui, c'est de l'eau de Cologne !

Au moins, ma sœur n'a pas changé.

En face d'une cathédrale, que maman voulait visiter avant de découvrir le nombre de marches à monter, il y avait un pont à la forme bizarre : le pont Hohenzollern. C'était comme si on avait posé trois arcs dessus. Des gens le traversaient à pied, alors on a fait comme eux et on s'est aperçues qu'il était couvert de cadenas accrochés par des amoureux.

Maman a proposé d'en ajouter un avec nos trois initiales, pour laisser une trace de notre passage.

Lily a écarquillé les yeux.

— Tu veux faire mourir les poissons, c'est ça ? T'as bien vu qu'il faut jeter la clé du cadenas dans le fleuve, tu crois vraiment que les poissons digèrent le métal, hein ?

Moi, j'ai approuvé. On n'aurait qu'à conserver la clé pour épargner les poissons – et Lily.

Le vendeur ne proposait que des lots de deux.

Avec le marqueur emprunté à un couple d'Anglais, on a tracé nos trois initiales et la date sur le premier cadenas. Sur le second, j'ai écrit « Toi + Moi ». Ça marchera avec n'importe qui.

Le retour à vélo était pire que l'aller. Je ne sais pas qui a inventé les selles, mais il était de mauvaise humeur. On était crevées en regagnant le camping-car. On a rapidement mangé des pâtes et on s'est couchées, Lily et moi dans le lit deux places, maman

sur la banquette. J'ai patienté un long moment avant
d'entendre la respiration de maman devenir régulière.
Enfin, elle dormait. Tout doucement, en essayant de
ne pas faire le moindre bruit, je me suis faufilée hors
du lit.

Anna

J'ai mis du temps à m'endormir. Le matelas de la banquette est fin et dur et mon corps n'est ni l'un ni l'autre. L'un des deux devait souffrir. C'est un souffle chaud sur ma joue qui m'a tirée du sommeil. J'ai ouvert les yeux sur un visage trop proche du mien pour que je puisse le distinguer.

J'ai crié. Le visage a crié. Lily a crié.

Le visage a bondi en arrière, dans la pénombre j'ai reconnu ma fille.

— Chloé, qu'est-ce que tu fous ?

— Rien, je venais te faire un câlin, a-t-elle marmonné, une main dans son dos.

— Qu'est-ce que tu as dans la main ?

— Rien.

J'ai jeté un œil sous mon oreiller, il n'y avait plus rien.

— Rends-moi mon téléphone.

— Mais, maman...

— Rends-moi mon téléphone immédiatement, Chloé ! Et si tu essaies de me le prendre encore une fois, tu ne l'auras plus du tout.

De mauvaise grâce, elle m'a tendu l'objet du délit et est retournée se coucher. Je venais de refermer les yeux quand j'ai entendu Lily lui chuchoter :

— Tu la prends vraiment pour un lapin de la dernière pluie.

Le reste de la nuit s'est déroulé sans incident.

À sept heures, c'est le froid qui nous tire du lit. Hier soir, après le vélo, nous étions en sueur, je n'ai pas pensé à allumer le chauffage. Ce matin, entre les courbatures et la chair de poule, mon corps se la joue susceptible.

J'installe la table et les chaises au soleil. Les filles ne quittent leur couette qu'une fois le petit déjeuner servi. Nous le partageons, en silence, face au Rhin. Le soleil s'admire dans l'eau et réchauffe nos corps gelés, le goût familier du café m'apaise. Pour la première fois depuis que nous sommes parties, j'envisage que c'était peut-être la bonne décision.

Si j'avais réfléchi, j'aurais changé d'avis. Je ne suis pas une aventurière. Je n'aime pas les surprises, j'ai besoin de tout anticiper, de tout organiser. L'inconnu m'angoisse, le manque de contrôle me tétanise. Je me suis enfermée dans une bulle rassurante, les mêmes lieux, les mêmes personnes, les mêmes trajets. Je refuse systématiquement tout ce qui se trouve à l'extérieur de ce périmètre. Le mariage d'un cousin à l'autre bout de la France, une soirée dans un restaurant que je ne connais pas, un rendez-vous de l'autre côté de Toulouse, un voyage à l'étranger, n'en parlons pas. Je brandis toujours de bons prétextes, je ne suis pas disponible, je suis fatiguée, mes filles ne

m'ont pas vue depuis longtemps, la France est tellement belle, pas besoin d'aller ailleurs. Tout le monde
y croit : je suis casanière, pantouflarde, vieille avant
l'âge. J'arrive souvent à me convaincre moi-même,
mais, au fond, je sais.

J'avais dix-huit ans lorsque j'ai fait ma première
attaque de panique. J'étais au volant, de nuit, sur
le périphérique, je rentrais d'une soirée avec des
copains. La circulation a ralenti, jusqu'à s'arrêter
totalement. J'ai d'abord senti des fourmis dans les
doigts. Des bouffées de chaleur. J'étouffais. J'ai
ouvert la vitre et monté le son. Ma mâchoire s'est
contractée, mon cœur s'est mis à battre fort, tellement fort, tellement vite que je pensais qu'il allait
s'arrêter. J'avais du mal à respirer, ma tête tournait.
Je me suis garée sur la bande d'arrêt d'urgence, je
comprenais pas ce qui se passait, j'ai cru que j'allais
crever là, toute seule. J'ai allongé le siège et fermé
les yeux en espérant que ce ne serait pas douloureux. Tout était cotonneux autour de moi, comme
si ce n'était pas vraiment réel. Mon corps tremblait,
je n'entendais même pas les voitures qui me dépas-
saient, je n'entendais que mon cœur. Cela a duré
d'interminables minutes. Lentement, j'ai senti mon
rythme cardiaque ralentir, ma respiration s'apaiser,
mon corps se décontracter. Je me suis mise à gre-
lotter. Je n'ai pas attendu, j'ai repris le volant et je
suis rentrée chez moi. Mon père et Jeannette dor-
maient, je me suis couchée sans un bruit.

Dans la nuit, ça a recommencé. Les jours suivants
aussi.

Le médecin m'a envoyée voir un psychiatre, qui a diagnostiqué des attaques de panique avec agoraphobie. Il m'a prescrit des médicaments, que j'ai avalés pendant plusieurs mois, ainsi qu'une thérapie comportementale et cognitive. Je devais me confronter à mes angoisses, les affronter pour m'y habituer et me désensibiliser. J'ai tenu trois séances. Lorsque j'ai annoncé à mon psychiatre que je renonçais à la thérapie, il m'a avoué que l'acte de provoquer les attaques de panique était souvent douloureux. Ça l'était, c'est vrai. Mais moins que l'idée de ne plus avoir d'espoir. Savoir qu'une méthode efficace existe est rassurant, au cas où les vagues deviennent trop hautes. Si je l'applique et qu'elle ne fonctionne pas, je n'aurais plus de bouée.

En restant dans ma bulle, je limitais les risques. J'ai continué à aller dans les mêmes lieux, à fréquenter les mêmes personnes, à emprunter les mêmes trajets. Jusqu'à cette décision. Je n'ai pas réfléchi. Je n'ai pas pensé à moi. Mes filles avaient besoin d'air, alors j'ai percé la bulle.

Lily

5 avril

Cher Marcel,

J'espère que tu vas bien, moi oui, sauf que j'ai envie de dormir, mais je ne peux pas, c'est mon tour de garde. Il est quatre heures du matin, ou un truc comme ça, je voulais t'écrire tranquillement, mais ma mère et ma sœur râlaient parce que la lumière les empêchait de dormir. Alors j'ai accroché la lampe de poche à mon front en entourant mon crâne de scotch et je me suis cachée sous la couette, à côté de Chloé. Faut juste que j'évite de trop bouger la tête, sinon je ne vois plus ce que j'écris, mais ça va.

Figure-toi qu'on est à Hambourg et que c'est en Allemagne. Ma mère nous a trouvé une aire pour camping-cars en face du port et on est allées se promener dans la ville, mais pas à vélo. C'était pas mal, on a vu un grand lac avec des cygnes, des entrepôts au bord de l'eau, des gros bateaux et des maisons comme j'en avais jamais vu, j'ai trouvé un joli caillou en souvenir, mais il s'est mis à pleuvoir alors on est rentrées.

Ma mère a voulu vidanger les toilettes, mais elle n'y arrivait pas, avec Chloé on la regardait à travers la vitre en se bouchant le nez et on l'entendait dire des gros mots. Le monsieur du camping-car d'à côté est venu l'aider, elle ne voulait pas, je crois qu'elle avait honte, tu m'étonnes. Il rigolait fort. Il a quand même fini par la persuader, et après on a dû aller boire l'apéro avec lui pour le remercier parce qu'il nous avait retiré une fière chandelle du pied.

En fait, c'était tout un groupe de Français qui voyagent ensemble, lui, c'est l'organisateur, il s'appelle Julien. Il y avait aussi son fils d'à peu près mon âge, Noé. J'ai essayé de lui parler, mais il ne répondait pas, il se balançait, son père m'a dit qu'il ne parlait pas et qu'il lui fallait un peu de temps pour s'habituer à de nouvelles personnes. Ah, et aussi il y avait un chien, Jean-Léon, trop mignon, j'ai joué avec lui.

Et puis voilà, on s'est couchées. Je ne sais pas combien de temps j'ai dormi, mais des chuchotements m'ont réveillée. C'était dehors, on entend tout à travers les parois des camping-cars, autant ne pas en mettre. Après, ça a fait comme un petit grattement et un PLOC contre la porte, j'ai commencé à ressentir de la peur, mais je me suis souvenue d'un reportage où le psy disait que la peur était comme un animal qu'il fallait apprivoiser, alors je lui ai dit de retourner se coucher et elle a obéi. J'ai essayé de réveiller Chloé, mais, elle, quand elle dort, c'est comme si on l'avait débranchée. Ma mère, n'en parlons pas, je crois qu'elle meurt toutes les nuits et qu'elle ressuscite tous les matins. Je ne pouvais compter que sur moi-même, alors j'ai enjambé ma sœur pour sortir du lit, et, là, j'ai vu la porte s'ouvrir et une silhouette avancer. J'ai bondi à terre, j'ai attrapé le premier truc qui me tombait sous la main et j'ai foncé sur l'ennemi en criant « BANZAÏ », comme j'avais vu dans un film, en donnant des coups de casserole. La silhouette est partie en courant, ma mère et Chloé se sont éjectées de leur lit, on aurait dit des toasts dans un grille-pain et, quelques minutes plus tard, le voisin Julien arrivait. Il nous a expliqué que les vols dans les camping-cars sont fréquents, qu'il vaut mieux mettre une alarme pour se protéger, c'est aussi pour ça qu'ils voyagent en groupe. On a décidé que, pour cette nuit, on allait surveiller à tour de rôle et que demain on installerait une alarme. Donc c'est mon tour et je suis fatiguée, alors je t'écris pour ne pas m'endormir (mais ne t'inquiète pas, je ne te prends pas pour un bouche-trou !).

Allez, bisous Marcel, je vais profiter que tout le monde dorme pour m'occuper de mon secret (je ne peux pas te révéler ce que c'est, j'ai trop peur que ma mère te lise). Passe une bonne nuit.

Lily
P-S : j'ai essayé d'enlever le scotch autour de ma tête, ça tire trop les cheveux, c'est horrible. Du coup je laisse comme ça.

Les chroniques de Chloé

Je suis une hypersensible. C'est l'infirmière du lycée qui m'a annoncé ça un jour, parce que je venais de tomber dans les pommes après m'être coupée à la main. C'était comme si elle venait de mettre le doigt sur le chaînon manquant, comme si elle me rendait quelque chose que j'avais perdu. C'était ça. J'étais hypersensible.

Plus tard, j'ai été diagnostiquée « haut potentiel », l'hypersensibilité y est souvent associée. J'ai passé des heures à lire des descriptions et des témoignages sur Internet, je remplissais tous les critères.

Tout ce que je ressens est décuplé. Je grouille d'émotions, je fourmille de sentiments.

Je pleure souvent. De tristesse, de joie, de rage.

Je m'oublie au bénéfice des autres.

J'ai tellement d'empathie, je peux tellement comprendre les autres que j'en suis influençable. Je suis incapable d'avoir un avis tranché.

Je ne m'aime pas. Mais ce n'est pas grave, tant que les autres m'aiment.

Je me juge constamment. Avec sévérité.

Mon cerveau n'est jamais au repos, mon imagination est une machine de guerre. Quand je regarde un film, quand j'utilise un objet, je me demande ce que font les comédiens à cet instant précis, quelle est la vie de celui qui l'a fabriqué, qui vit là.

Je suis toujours en hypervigilance. Je sursaute quand je croise maman dans le couloir, je crie quand Lily entre dans la salle de bains sans frapper.

Lorsque j'entends parler d'un fait divers, je me mets à la place des victimes. Je vis les scènes comme si j'y étais.

Je suis lucide. Trop.

Mais ça a aussi de bons côtés.

Je suis une bonne amie, qui comprend, qui ne juge pas.

Je me remets facilement en question.

Je suis attentive aux jolies petites choses que l'on croise souvent sans les voir.

Mes joies sont décuplées. Un rayon de soleil, une odeur de lilas, les illuminations de Noël font monter en moi des bouffées de bonheur.

Maman a toujours aimé m'entendre m'extasier. Il paraît que, gamine, je rendais les trajets en voiture aussi bruyants que joyeux. J'intériorise davantage, désormais, mais le feu d'artifice est toujours présent. Alors quand, après avoir roulé des kilomètres à travers la forêt, effectué une courte marche puis l'ascension d'un escalier, on est arrivées, je n'ai pas pu faire autrement qu'abandonner ma réserve.

— Whaaaouuu !

Face à nous, la mer déployait ses mille nuances de bleu tandis que, sous nos pieds, de hautes falaises blanches trempaient leurs orteils. Je n'avais jamais rien vu d'aussi beau.

Maman nous a expliqué qu'on était aux Møns Klint. Il y avait longtemps que je ne lui avais pas vu ce sourire.

On n'était pas seules, il y avait quelques touristes, mais j'ai fait abstraction des voix pour ne conserver que la musique des oiseaux et celle de l'eau. Le vent était frais, pourtant le soleil le combattait vaillamment. J'aurais pu rester là des heures, à sentir sa caresse sur mon visage.

Un peu plus tard, on est descendues au niveau de la mer, fouler les galets gris. Lily en a ramassé une dizaine. D'en bas, les falaises semblaient encore plus grandes. J'avais l'impression d'être un grain de sable perdu dans l'immensité.

On a rejoint le camping-car en silence, même nos mots étaient soufflés. Maman a repris le volant, les arbres ont défilé pendant longtemps, je flottais dans une bulle de bien-être. C'est une sonnerie qui m'en a extirpée. Une notification Messenger sur le téléphone de maman. D'un regard, elle m'a autorisée à regarder. C'était Kevin, le boulanger.

« Slt Chloé, sa va ? Je voudrai t parler t chez toi ? »

Vous savez, les bouffées de bonheur dont je vous parlais plus haut ? Eh bien, voilà, j'en ai eu une. J'ai réfléchi dix minutes à la tournure de ma réponse, j'ai pianoté le message et je l'ai envoyé. Je savais que c'était un mec bien.

Anna

— Maman, tu connais Apollinaire ?

Lily m'observe en attendant ma réponse.

Le problème, quand on fait les choses sur un coup de tête, c'est qu'on n'anticipe pas toutes les données. Ainsi, je n'avais pas deviné à quel point dispenser des cours à mes filles pourrait s'avérer compliqué.

Chaque matin, pendant deux heures, nous enchaînons leçons et exercices. Chaque matin, durant deux heures, Chloé clame que, de toute manière, elle ne passera pas son bac, et Lily joue avec ses stylos comme avec des poupées.

Aujourd'hui, la pluie n'y étant peut-être pas étrangère, les filles sont à peu près concentrées. Chloé ne s'est endormie que deux fois sur *Les Faux Monnayeurs* de Gide et Lily n'a, jusqu'à maintenant, posé que quelques questions pour gagner du temps.

— Je connais un peu, je l'ai étudié à l'école, réponds-je en m'asseyant à ses côtés.

— Il était aveugle, non ?

— Pourquoi ?

Elle glisse son livre sous mes yeux et désigne une ligne :

— Il dit : « Il est grand temps de rallumer les étoiles », mais elles sont déjà allumées. Faut qu'il change d'ophtalmo !

Chloé soupire :

— Il ne parle pas vraiment des étoiles qui sont dans le ciel.

Lily la fixe de ses yeux ronds :

— Ah ? Parce qu'il y a des étoiles ailleurs que dans le ciel, peut-être ? Vous êtes vraiment bizarres, les grands.

Je m'apprête à tenter une explication quand la sonnerie du téléphone me sauve.

— Allô ?

— Madame Moulineau, bonjour, c'est Mme Barrière de la Banque postale. Nous avions rendez-vous il y a une demi-heure, je vous ai attendue…

Comme chaque fois que je suis prise en faute, je me transforme en petite fille.

— Oh, mince ! Je suis désolée, j'ai complètement oublié !

— Je m'en doutais. Il faut absolument que l'on se voie pour discuter de votre compte, j'ai une place qui s'est libérée demain à onze heures.

— Je ne serai pas là, on peut éventuellement en parler par téléphone ?

— Jeudi à quatorze heures ?

Chloé me lance un regard interrogateur. Je ne peux pas avouer à ma conseillère de banque, qui doit avoir mon nom affiché en gros et en rouge sur son écran, que je me suis offert un petit voyage sympathique. Je grimpe sur le lit des filles, tire le rideau et diminue le volume de ma voix.

— Je suis vraiment désolée, je ne…

— Bien, je vois, me coupe-t-elle. Madame Moulineau, vous êtes à découvert depuis plus de trente jours consécutifs et votre salaire n'était pas complet ce mois-ci. Il faut trouver une solution, n'est-ce pas ?

Je hoche la tête, j'ai cinq ans.

— Tout à fait, je vais en trouver une. J'ai perdu mon travail, mais je vais toucher le chômage en attendant d'en avoir un autre. Je fais de mon mieux, vous savez.

— Vous n'avez plus d'emploi ?

À cinq ans, on parle trop.

— Pas pour le moment, mais…

— Écoutez, au vu de votre situation, je suis dans l'obligation de faire opposition à tous les prélèvements qui se présenteront sur votre compte tant que vous n'aurez pas régularisé. Vous comprenez que…

Je ne l'écoute plus. Je ne sais pas ce que j'avais espéré, en partant. Comme si mes dettes avaient pu s'effacer juste parce que je m'en éloignais. Comme si les soucis pouvaient rester là où on les laissait. J'avais la possibilité de payer toutes mes factures, de repartir de zéro. Tout à coup, assise sur ce matelas fin, enfermée dans un camping-car sous la pluie, loin de ma bulle, je me sens perdue. Qu'est-ce que j'ai fait ? Mon pouls s'emballe, ma respiration s'accélère, je compte les fleurs sur le rideau, mais cela ne suffit pas à détourner mon attention. Je n'ai qu'une envie : démarrer, rouler jusqu'à la maison. Rentrer. Retrouver mes repères.

— Bonne journée, madame Moulineau.

— Merci, bonne journée à vous aussi.

Je raccroche d'une main tremblante et m'allonge sur le lit pour essayer de me détendre. Courte inspiration. Longue expiration. Courte inspiration. Longue expiration. Bruit métallique sous le lit. Courte inspiration. Longue expiration. Mon rythme cardiaque s'apaise. Bruit métallique sous le lit. Courte inspiration. Longue expiration. Succession de bruits métalliques sous le lit. Il ne manquerait plus que nous soyons en panne.

Je me lève, mes jambes sont encore molles. Chloé s'est endormie, la tête sur son livre. Lily dessine. J'approche mon oreille du lit pour identifier la source du bruit métallique. Il retentit de nouveau. Je soulève le matelas, une planche avec poignée révèle un rangement que je n'avais pas remarqué. Je l'ouvre, et puis c'est le trou noir.

Lily

8 avril

Cher Marcel,

On est dans la pommade, ma mère a trouvé mon secret. J'avais pourtant une bonne cachette et Chloé était une complice assez efficace, mais voilà, c'est foutu. En plus, ma mère a eu tellement peur qu'elle est tombée et elle s'est cognée contre le bord du lit, résultat elle a la lèvre ouverte en deux comme si Moïse était passé par là. On s'est retrouvées à l'hôpital de Copenhague et maintenant elle a un pansement qui va lui recoller la bouche comme de la Patafix. J'aurais préféré qu'ils lui collent la lèvre du haut avec la lèvre du bas, parce que je te dis pas l'interrogatoire que j'ai eu.

J'ai dû lui expliquer que c'était un rat domestique, rien à voir avec ceux qu'on trouve dans les poubelles, qu'il était propre et qu'il ne lui ferait pas de mal. Elle m'a demandé comment j'avais pu le cacher si longtemps, je lui ai avoué que je le sortais dès qu'elle avait le dos tourné et que la nuit il dormait avec nous dans le lit, mais ça, ça ne lui a pas trop trop plu. Elle a voulu que je m'en débarrasse, j'ai crié qu'il faudrait d'abord me passer sur le corps, qu'il était hors de question que j'abandonne Mathias. Ses yeux sont devenus ronds comme des ronds, elle m'a demandé si elle avait bien compris, si mon rat portait bien le prénom de mon père, elle avait l'air choquée. C'est pourtant logique. On dit bien que les rats quittent le navire, non ?

Un peu plus tard, elle a accepté que je garde Mathias, à condition de ne pas le sortir en public et d'éviter de le mettre sur son chemin. J'ai pris mon rat, je le lui ai tendu en lui proposant de le caresser, elle a hurlé de ne pas chercher à la faire changer d'avis.

On l'a échappé belle, Marcel, pas vrai ? J'aimais bien avoir un secret, mais je t'avoue que je suis quand même contente d'avoir pu sortir la cage de Mathias de sa cachette et de pouvoir le libérer plus souvent.

Aussi, on s'est promenées dans Copenhague, c'était joli même s'il pleuvait comme vache à lait (heureusement, il y a eu beaucoup d'éclaircies). Quand je serai grande, j'aimerais bien avoir une maison en couleur comme ici. Chloé avait très envie d'aller aux jardins de Tivoli, c'est à mi-cheval entre un parc d'attractions et un parc tout court, ma mère ne voulait pas trop parce que ça coûtait de l'argent, mais elle a fini par dire « oh et puis on s'en fout » et on y est allées. Dans la tête de ma mère aussi, c'est alternance de pluie et d'éclaircies.

C'est vraiment dommage que t'aies pas vu ça, Marcel, tu te serais fait pipi dessus (tu te serais gondolé). On est montées dans la grande roue, c'était trop beau, mais, en haut, ma mère était toute blanche, elle disait que ça allait, mais on voyait bien que ça n'allait pas du tout. La preuve, elle a fini par s'allonger au fond de la nacelle, les jambes relevées en respirant comme si elle faisait de la plongée sous-marine. Pour le grand huit, elle a préféré rester au sol pour prendre les photos (elles étaient floues).

On a beaucoup marché, Chloé avait mal aux pieds, faut dire qu'elle avait sorti ses chaussures à talons. Elle s'était même lissé les cheveux, après elle râlait parce qu'il pleuvait. Les Danois dînent hyper tôt, à dix-huit heures les restaurants se remplissaient, ça nous a donné faim, alors on a acheté des smørrebrød (c'est des espèces de tartines à ce qu'on veut, moi j'ai pris une au fromage et une au poisson), et on est retournées au camping-car. Mathias était content, je suis sûre qu'il a remué la queue. Il y avait encore le groupe de Français de l'autre soir, mais on n'a pas mangé avec eux. Ma mère avait laissé son téléphone sur la table, il clignotait. Elle a dit que mon père avait appelé, j'ai fait comme si j'entendais pas, mais Chloé a voulu le rappeler, alors je suis partie à la douche.

Je dois te laisser, il faut éteindre la lumière.

Gros bisous mon Marcel.

Lily

P-S : j'ai la narine gauche bouchée, alors je me couche sur le côté droit, du coup elle se débouche. Mais après, c'est la droite qui se bouche. Je vais dormir assise.

Les chroniques de Chloé

Un petit message pour mes lecteurs avant de commencer.
Je suis heureuse de lire tous vos commentaires
et de constater que vous aimez tant suivre mes aventures !
Même si certains mots peuvent être blessants, je suis
touchée de voir que vous êtes nombreux à me comprendre,
à ne pas me juger. Pour ceux qui veulent des photos
de moi, cela n'arrivera pas. Quelques personnes m'ont
reconnue grâce aux prénoms, mais je préfère que ce blog
reste un minimum anonyme. Merci d'être là <3

Papa n'avait pas appelé depuis trois semaines. Ça
m'a fait plaisir de lui parler, même si c'est toujours
un peu bizarre. Au début, j'ai l'impression que c'est un
étranger au bout du fil, et puis, petit à petit, je me réha-
bitue à sa voix et je pourrais discuter avec lui pendant
des heures. Chaque fois qu'on raccroche, j'ai une boule
dans la gorge. Il me manque. J'aimerais le voir plus
souvent, mais c'est compliqué. Son appartement est
trop petit, il est obligé de nous recevoir chez mamie,
mais ça la fatigue beaucoup. J'espère qu'un jour papa
gagnera assez d'argent pour prendre un logement dans
lequel on pourra aller autant qu'on le voudra.

Comme toujours, Lily n'a pas voulu lui parler. Elle a un problème avec lui, elle dit qu'il nous a abandonnées. Pourtant, elle sait bien que c'est maman qui l'a quitté. Lui, il aurait préféré rester avec nous. Moi aussi.

— Ça va, ma chérie ? il m'a demandé.

J'aime quand il m'appelle « ma chérie ». J'ai envie de lui répondre « mon petit papa adoré », mais je n'ose pas.

Je lui ai raconté notre périple, en omettant les raisons de notre départ, pas besoin qu'il me fasse la morale. J'avais peur qu'il se fâche, mais, au contraire, il avait l'air heureux, il m'a posé plein de questions.

— Maman a eu une super idée ! il s'est exclamé. Il n'y a rien de mieux que les voyages pour s'ouvrir l'esprit, ça va vous faire grandir.

Il a marqué une pause, puis il a murmuré :

— J'aurais tellement aimé être avec vous.

Ma gorge s'est serrée, mais je n'ai rien laissé paraître. Je voyais que maman m'observait, ça faisait dix minutes qu'elle lavait le même verre.

J'essaie de ne plus en vouloir à maman. Elle devait avoir ses raisons de le quitter, peut-être qu'elle ne l'aimait plus, peut-être qu'elle n'était plus heureuse. Mais j'ai vu papa pleurer, je l'ai entendu me confier combien il était malheureux. Je n'oublierai jamais la première fois qu'on est allées passer un week-end à Marseille, il y a six ans. On ne l'avait pas vu depuis des mois, on n'avait même pas pu lui dire au revoir. Il nous attendait sur le quai de la gare, je ne l'ai pas reconnu tout de suite. Ses yeux s'étaient éteints. Il m'a serrée tellement fort que mon cœur s'est fait tout petit. Je sentais les spasmes de son chagrin contre moi. J'ai détesté maman.

— Je vais te laisser, ma chérie, tu me passes ta sœur ?

— Elle est sous la douche, mais elle te fait un gros bisou.

Quand j'ai raccroché le téléphone, avant de le rendre à maman, j'ai regardé si j'avais une réponse de Kevin. Il n'y en avait pas.

Anna

— Maman, il faut que tu t'arrêtes, j'ai envie de vomir.

Lily vient d'articuler ces mots d'une voix éteinte. Nous sommes sur l'Øresundsbron, le pont qui relie le Danemark à la Suède, et seule une étroite bande d'arrêt d'urgence permet de faire une pause. Pas suffisant, au vu de la largeur du camping-car.

— Essaie de te retenir, je me garerai en bas du pont. Si tu ne peux pas, va dans la salle de bains !

Elle ne répond pas, les mains plaquées contre sa bouche.

— C'est le tunnel qui l'a rendue malade, affirme Chloé.

Lily confirme d'un hochement de tête. Sa sœur poursuit :

— Et tu conduis bizarrement, t'arrêtes pas de lâcher l'accélérateur, ça fait des à-coups, ça remue l'estomac.

Nouveau hochement de tête de Lily.

Vexée, je garde mon pied sur la pédale jusqu'à notre retour sur la terre ferme. Lorsque la rambarde de sécurité disparaît, je ralentis et me range sur le bas-côté. Lily ouvre la portière, saute au sol et s'éloigne en courant dans l'herbe. Je coupe le contact et la suis.

Au bout de quelques minutes à respirer l'air frais de la Suède, ma fille a retrouvé sa voix.

— Maman, à l'époque où t'as passé le permis, y avait pas de pédales ?

Elle va mieux.

Nous regagnons le camping-car pour atteindre notre prochaine étape. Chloé est toujours à la même place, les yeux dans le vague. Sans doute tracassée par l'appel de son père hier soir.

À peine avons-nous roulé cinq cents mètres que le camping-car est pris de soubresauts. D'un même mouvement, les filles se tournent vers moi.

— Je n'ai pas lâché la pédale !

Quelques secondes plus tard, le véhicule tousse à nouveau. Lily glousse. J'en suis à douter du bon fonctionnement de mon pied droit lorsque le camping-car ralentit. J'ai seulement le temps de me ranger sur le côté de la route qu'il cale.

— Qu'est-ce qui se passe ? demande Lily.

— D'après toi ? rétorque Chloé.

— Oh, toi, ça va, on t'a pas sonnée !

— Me parle pas comme ça, espèce de tarée.

— C'est toi, la tarée.

— Non, c'est toi.

— Non, c'est toi !

— Bon, ça va, les filles ! interviens-je en essayant de démarrer pour la troisième fois. Personne n'est taré.

— Enfin, Lily n'est pas nette, lâche Chloé.

— C'est toi, la pas nette, rétorque Lily.

— Non, c'est toi !

Je me tourne vers les deux furies.

— Si vous n'arrêtez pas tout de suite, je vous fais descendre et je repars sans vous.

Chloé hausse les sourcils.

— En poussant le camping-car ?

Sa sœur ricane. Je les ignore et tente encore un démarrage.

Le moteur tourne, mais ne se lance pas. Nous sommes arrêtées sur une route de Suède, sans aucun indice quant à l'existence d'une ville à proximité, en panne. J'essaie de maîtriser ma respiration pour garder les idées claires.

— Essaie d'appeler papy ! propose Lily. Il saura peut-être pourquoi ça marche plus.

Bonne idée. Je saisis mon téléphone et appelle mon père. Une sonnerie. Deux sonneries. Trois sonneries. Quatre sonneries.

« Bonjour, vous êtes bien sur la messagerie de Poupoune et Papoute ! Laissez-nous un message, on vous rappellera… ou pas ! »

Les deux voix se taisent, c'est à moi de parler. Je raccroche. Pendant plusieurs minutes, entre deux tentatives de démarrage, je réfléchis au moyen de nous sortir de là. C'est Chloé qui soumet l'idée.

— T'as pas le numéro de Julien ?

— Julien ?

— Oui, tu sais, l'organisateur du groupe qu'on a croisé trois fois ! Ils ne doivent pas être très loin, on les a vus hier. T'as pas son 06 ?

— Si, il me l'a donné, mais c'est délicat de l'appeler pour qu'il vienne me dépanner.

— Alors tu préfères qu'on reste ici toute notre vie et qu'on finisse dévorées par des ours suédois ? s'écrie Lily. C'est ça ?

Si je n'étais pas aussi stressée, je rirais. Je cherche son nom parmi mes contacts téléphoniques et lance l'appel, Julien répond aussitôt. Il se trouve à Malmö, à moins de trente minutes. Il règle un souci d'emplacement et il arrive, promis !

Une heure plus tard, un camping-car se gare derrière le nôtre. Un homme en descend et se dirige vers nous.

— Faudra lui signaler que la chemise de bûcheron, c'est démodé, lâche Chloé.

— C'est toi qui es démodée, rétorque Lily.

— Les filles, je ne veux plus vous entendre, dis-je en ouvrant la portière au moment où Julien arrive à ma hauteur.

Il me tend la main.

— Vous avez bien fait de m'appeler, je suis l'homme qui chuchote à l'oreille des camping-cars !

Le soupir de Chloé s'échappe par la portière ouverte. Julien grimpe et s'installe au volant en les saluant. Quelques secondes plus tard, il a trouvé l'origine de la panne.

Je n'ose pas regarder les filles. Je n'ose rien regarder, à vrai dire, hormis mes chaussures. J'ai pourtant entendu un BIP en démarrant tout à l'heure, mais à aucun moment je n'ai pensé qu'il m'alertait du niveau du réservoir. J'étais persuadée que le plein durerait plus longtemps.

De retour de la station-service équipé d'un bidon d'essence, Julien abreuve le camping-car, qui retrouve sa forme. Les filles l'acclament lorsque le moteur vrombit.

— Merci beaucoup, dis-je. Je ne sais pas comment on aurait fait sans vous.

Il éloigne le compliment d'un sourire gêné.

— Vous ne voulez toujours pas faire la route avec nous ? s'enquiert-il. Voyager groupés évite justement ce genre de désagrément.

— C'est très gentil, mais le but de ce road trip est de nous retrouver toutes les trois. On aura sans doute l'occasion de se recroiser !

— Comme vous voulez, fait-il en haussant les épaules. Moi aussi, la première fois, j'ai tenu à faire ce voyage seul avec mon fils, mais je ne regrette pas d'avoir cherché des compagnons de route sur Internet. Justement, pour garder ce côté solitaire, on ne se rejoint que le soir, je m'occupe de réserver les emplacements et les autres n'ont qu'à s'installer quand ils arrivent. La journée, chacun est de son côté. On peut partager le dîner et échanger nos expériences, c'est très enrichissant, mais il n'y a aucune obligation. Et puis, je serais plus rassuré de ne pas vous savoir seules.

— Moi aussi, j'aurais moins peur ! intervient Lily, qui a attentivement écouté cet exposé. Entre les pannes, le cambriolage et tes angoisses, je suis pas hyper tranquille.

— La vérité sort de la bouche des enfants, glisse Julien en souriant.

Je me demande si c'est une bonne idée d'accepter quand il dégaine son argument massue.

— En plus, une fois par semaine, on fait une soirée à thème. Cette fois, c'est karaoké dans mon camping-car, j'ai une super installation, j'adore ça, surtout Johnny Hallyday !

Chloé écarquille les yeux.

— Bon, on va peut-être continuer toutes seules, marmonne Lily.

Je le remercie encore chaleureusement de nous avoir dépannées, claque la portière et reprends la route en essayant de laisser fermées les portes du pénitencier.

Lily

12 avril

Cher Marcel,

Pardon de ne pas te demander comment tu vas, mais il faut que je te raconte ce qu'il est en train de se passer en ce moment même, tu comprendras qu'il y a des priorités.

Attention, t'es bien assis ?

Sûr ?

Bon.

Ma mère est en train de crier dans un micro qu'elle a envie de se casser la voix.

J'ai bien envie de la dénoncer à quelqu'un, mais déjà je ne sais pas à qui, et en plus je ne parle pas l'Ikea. Alors je laisse mes tympans mourir à petit feu.

Attends, je t'explique comment c'est arrivé.

Tout a commencé la nuit dernière, il était trois heures et j'avais été réveillée par un marteau-piqueur. En fait, c'était ma mère qui ronflait, alors j'ai fait comme j'avais lu un jour dans *Picsou*, j'ai sifflé, mais ça ne marchait pas, peut-être parce que je ne sais pas siffler. J'ai essayé de pousser des cris très aigus, ça y ressemblait, mais j'ai stoppé net quand Chloé m'a filé un coup de pied dans le tibia.

Il fallait que ma mère arrête ce boucan, c'était plus possible, alors j'ai repensé à un autre truc que j'avais lu dans *Picsou* : tremper son petit doigt dans un verre d'eau. Ce n'est pas vraiment fait pour arrêter les ronflements, mais apparemment ça déclenche un pipi au lit. Si elle est mouillée, ça la réveillera, donc elle ne ronflera plus. Élémentaire, Whitney Houston. Je me suis levée, j'ai versé un peu d'eau dans un verre et j'ai attrapé la main de ma mère pour chercher son petit doigt, mais je n'ai pas eu le temps de le trouver, elle a sursauté et j'ai renversé le verre sur elle.

Après ça, elle ne dormait plus du tout, mais c'était pas la grande forme. Elle respirait vite, elle transpirait, je lui demandais ce qu'elle avait, elle répondait que tout allait bien, mais je la croyais moyen parce qu'elle disait ça en claquant des dents. Chloé lui a proposé de venir dans notre lit, elle s'est couchée entre nous deux, ma sœur l'a entourée de son bras et lui a frotté l'épaule, du coup, moi, j'ai fait pareil de l'autre côté. Je ne sais pas si elles ont dormi, mais plus personne n'a ronflé.

Ce matin, au petit déjeuner, Chloé et moi on a dit à ma mère qu'on voulait suivre le groupe de Julien pour les prochaines étapes. C'est plus prudent, même si ça fait beaucoup de personnes à supporter. Ce n'est pas que je n'aime pas les gens, c'est que je pourrais m'en passer, un peu comme les navets dans le pot-au-feu. Elle nous a demandé si on était sûres, elle préfère qu'on continue toutes les trois en faisant en sorte de ne jamais être loin d'eux, mais c'est pas pareil. Elle a fini par reconnaître que ce serait mieux, qu'on se sentirait plus en sécurité en cas de cambriolage, de panne, d'attaque de rat ou de verre d'eau.

Voilà, donc aujourd'hui, après avoir visité la ville de Kalmar (c'est une arnaque, on n'y trouve pas de calamar) (c'est comme si on ne trouvait pas de barres Lion à Lyon), on a rejoint les autres voyageurs sur une espèce de parking au bord de la mer, en face d'une île qu'on visitera demain.

Je n'ai pas retenu tous les noms, mais il y a quatre camping-cars :

— Julien, l'organisateur, et son fils Noé, qui a treize ans

— Deux parents avec leurs deux enfants, un garçon (petit) et une fille (grande)

— Un couple avec un chien (Jean-Léon)

— Deux papys (Diego et je sais plus quoi)

Heureusement, on n'est pas obligés d'être tout le temps ensemble, mais ce soir on a mangé avec eux pour « fêter notre arrivée ». Ils ont mis toutes les tables pliantes dehors et les ont collées pour en faire une grande. Je me suis assise à côté de Noé, au moins j'étais sûre qu'il ne ferait pas que parler. Je sais pas ce que les adultes ont bu, mais là, au moment où je t'écris, Diego (le papy) chante « Allumer le feu ». Je n'ai qu'une envie : que quelqu'un lui obéisse.

Allez, je te laisse, je vais essayer de trouver quelque chose à me mettre dans les oreilles pour dormir en silence. Je crois avoir vu des tampons dans la trousse de toilette de ma mère.

Bisous Marcel
Lily
P-S : parfois j'aimerais bien être comme toi (pas plate) (sans oreilles).

Les chroniques de Chloé

Pendant qu'on roulait sur l'île d'Öland, j'ai pris une minute sur les trente dont je dispose quotidiennement pour vérifier si Kevin m'avait répondu. Toujours rien. Juste des messages d'Inès qui me rapporte les potins du lycée.

Pourtant, il a vu mon message quatre minutes après que je l'ai envoyé. Je l'ai relu plusieurs fois pour tenter de trouver ce qui aurait pu lui déplaire.

« Salut Kevin, je suis tellement heureuse de te lire ! Je suis partie, je ne sais pas exactement quand je reviens, mais ça me ferait vraiment plaisir qu'on s'écrive tous les jours, un peu comme des correspondants ! Tu voulais me parler de quoi ? Gros bisous. »

Je ne comprends pas. Je n'ai pas l'impression d'y être allée trop fort, j'ai même supprimé le smiley cœur avant d'envoyer. Il n'a sans doute pas trouvé le temps. Ce n'est pas ce qui manque ici.

Les journées s'étirent lentement, j'ai l'impression qu'on a épuisé tous les sujets de conversation avec maman et Lily. Le silence est le quatrième passager du camping-car. Maman fait des efforts pour créer le dialogue, mais ça ne prend pas. Lily est toujours à trois kilomètres de la plaque et moi je n'ai pas grand-chose à dire. C'est bizarre, j'ai longtemps espéré qu'un jour maman travaillerait moins, comme avant que papa parte, qu'on pourrait passer plus de temps ensemble, et, maintenant que c'est le cas, ce n'est pas comme je l'avais imaginé. Peut-être que ça va venir. Peut-être que, comme il faut réapprendre une langue étrangère quand on ne la pratique pas pendant long-temps, il faut qu'on se réapprenne, nous.

— On est arrivées !

Maman a tiré le frein à main. On venait de tra-verser une partie de l'île en direction de son extrême sud sur une étroite bande de goudron bordée, à sa gauche, de vaches, de moutons, de moulins, de pierres et de cabanes rouges posés sur l'herbe, à sa droite de la mer, que les reflets du soleil rendaient presque argentée.

On est descendues du véhicule, face à nous se dressait le phare Långe Jan. Seul face aux éléments, il en imposait.

Maman s'est dirigée vers lui, on l'a suivie. Lily, qui avait obtenu l'autorisation de faire sortir son rat, a désigné le haut de la tour.

— On va monter ?

Maman a secoué la tête.

— Ce n'est pas prévu.

— Dommage, Mathias et moi, on aurait bien aimé !

Maman a levé la tête vers le sommet, elle n'a pas eu besoin de parler pour que je comprenne qu'elle éva-luait le nombre de marches. Elle a dit d'accord.

À l'entrée du phare, une femme nous a expliqué qu'on était dans une réserve ornithologique, que de nombreuses variétés d'oiseaux étaient visibles avec des jumelles, et elle nous en a prêté une paire.

Maman nous a fait passer devant et on a entamé l'ascension. On est arrivées cinq minutes avant elle. Je crois que, pour la première fois de sa vie, elle aurait voulu être à la place d'un rat.

L'effort en valait la peine. Le vent froid au parfum iodé fouettait mon visage, autour de moi le bleu se diluait dans le vert, ça avait des allures de bout du monde, ça sentait l'aventure. On est restées là un moment, à faire le tour du belvédère pour ne manquer aucun angle de vue, emmitouflées dans nos manteaux. On se passait les jumelles pour admirer les oiseaux, il y avait des cygnes, des mouettes et plein de petites espèces dont je ne connais pas le nom. On avait le phare pour nous seules. Là-haut, je n'avais plus besoin d'être majeure pour me sentir libre.

On allait redescendre quand Lily a hurlé. Elle a tendu son index en direction de la mer.

— Regardez ! Le rocher ! Il bouge !

Dans l'eau, un groupe de grosses pierres grises trempait, identiques à celles que l'on croisait partout sur l'île. Instinctivement, maman a posé la main sur le front de Lily pour estimer sa température, mais ma sœur ne se calmait pas.

— Passe-moi les jumelles, je te dis que je l'ai vu bouger !

Je les lui ai tendues, elle a fait la mise au point et elle s'est mise à sautiller.

— Oh là là, c'est des phoques ! C'EST DES PHOQUES !

Je n'ai pas tenté de lui prendre les jumelles pour vérifier, elle m'aurait mordue. J'ai ressorti mon appareil photo et j'ai réglé le zoom au maximum. Ma sœur avait raison. Avachi sur des rochers immergés, un groupe de phoques se prélassait au soleil. C'était magique.

On a dévalé les marches en courant dans l'idée de nous approcher d'eux, mais la gardienne nous l'a déconseillé. Cela pouvait les effrayer. Alors on les a observés de loin avant de regagner le camping-car en prenant notre temps, comme pour retarder le retour à la réalité.

C'était bizarre, on était comme en état de choc. Maman n'a pas démarré tout de suite. Même Lily se taisait. Mais ce silence-là, il était différent. Il nous réunissait.

On venait de se faire mettre K-O par la beauté du monde.

Anna

Après trois soirées passées avec le groupe de camping-caristes, j'ai demandé à Lily et Chloé si elles souhaitaient que nous continuions avec eux ou que nous reprenions la route seules. À l'unanimité bruyante, elles ont voté pour la première option.

Ce n'est pas ce que j'avais prévu. Ce voyage, je l'imaginais à trois, une sorte de huis clos qui nous aurait reconnectées, un espace réduit dans lequel nous n'aurions eu d'autre choix que de vivre ensemble. Nous connaître mieux, passer du temps les unes avec les autres, réapprendre à nous faire confiance. Je suis persuadée que c'est ce dont elles ont besoin. Mais j'ai peut-être présumé de mes forces.

À la maison, je manquais de temps, mais je savais trouver des solutions. Ici, c'est l'inverse.

L'occupation permanente m'empêchait de penser. Chaque jour, j'enchaînais les tâches, le ménage, les courses, les papiers, travailler, changer une ampoule, préparer le repas, lancer le lave-vaisselle, laisser un mot aux filles pour qu'elles vident le lave-vaisselle, laisser un mot aux filles pour leur dire qu'elles ont oublié de vider le lave-vaisselle, vider le lave-vaisselle… Chaque soir, je m'écroulais sur mon lit et m'endormais comme si on m'avait assommée.

Ici, je réfléchis. J'analyse. Je fais le point. Parfois, je ne pense à rien. Un cerveau au repos, c'est la cible préférée d'une crise d'angoisse.

— *Et si je lançais une petite attaque de panique ? propose mon cerveau émotionnel.*

— *Il n'y a aucune raison, répond mon cerveau raisonnable.*

— *Justement, c'est la raison idéale !*

— *Non merci, sans façon.*

— *Mais si ! Ça fait longtemps que je ne t'ai pas testé, tu vas finir par croire que tu es en sécurité. Tiens, j'envoie une petite armée de fourmis dans les doigts.*

— *Non, vraiment, je peux m'en passer.*

— *Trop tard. Augmentation du rythme cardiaque dans ta face !*

— *Arrête, sinon je…*

— *Sinon quoi ? Tu n'es pas de taille, tu le sais bien. Allez, je lance quelques bouffées de chaleur et j'active les tremblements. Tu tiens le coup ?*

— …

— *Cerveau émotionnel, tu ne réponds plus ?*

— …

— *Bon. Il a disparu. J'ai encore gagné.*

En réalité, je n'ai pas peur de tomber en panne ou d'être cambriolée. Je crains de faire une attaque de panique et de ne pas réussir à la gérer. Je redoute de perdre connaissance et que mes filles se retrouvent seules. Je suis terrorisée à l'idée de ressentir ces symptômes terribles. Les symptômes de la peur. En fait, j'ai peur d'avoir peur. J'ai peur de moi.

J'avais envisagé que nous puissions suivre l'itinéraire du groupe sans y coller parfaitement. Ne jamais trop s'en éloigner, mais ne pas être avec eux. Faire parfois nuit commune, faire souvent nuit séparée. Mais peut-être que m'entourer d'autres personnes est la solution pour se sentir plus en sécurité.

Après trois soirées passées avec eux, j'ai commencé à découvrir les autres camping-caristes. Nous nous rejoignons pour la nuit, à l'heure que nous souhaitons. La place a été réservée par Julien, il n'y a plus qu'à s'installer. Nous nous croisons, nous discutons en effectuant la vidange des eaux usées, nous partageons l'apéritif ou un repas si nous le souhaitons.

Il y a Julien, l'instigateur du groupe, qui voyage avec son fils de treize ans, Noé, un garçon au visage doux, qui ne parle pas mais peut observer des heures durant sa toupie lumineuse. Même s'il a réussi à me convaincre de participer au karaoké, je compte bien trouver une excuse solide pour éviter la prochaine soirée à thème : mimes et imitations.

Il y a Marine et Greg, les jeunes mariés de Biarritz, et leur chien Jean-Léon. Chaque jour, ils essaient de trouver une carte postale du lieu visité pour l'envoyer aux résidents de la maison de retraite où ils travaillent. Je pense que je vais bien m'entendre avec eux.

Il y a Diego et Edgar, deux octogénaires auvergnats. Initialement, ils devaient effectuer le voyage avec leurs femmes, Madeleine et Rosa, mais elles sont décédées à deux semaines d'intervalle, le mois dernier. Ils n'ouvrent pas beaucoup la bouche, mais, chaque fois, c'est pour parler d'elles.

Il y a Françoise et François et leurs enfants Louise et Louis, dix-sept et neuf ans. Madame est avocate, monsieur est « dans les affaires », ils réalisent ce road trip car leurs enfants se sont trop habitués à leur style de vie luxueux. Ils espèrent que ce qu'ils nomment « le choc des cultures » leur remettra les pieds sur terre. Pour les y aider, ils ont opté pour un petit véhicule au confort rudimentaire.

La lumière dans le camping-car de Julien est allumée. Je frappe à la porte, il ouvre, une serviette à carreaux nouée autour du cou.

— On se fait toujours un chocolat chaud avant de dormir avec Noé. Tout va bien ?

— Oui, oui, tout va bien ! Je suis venue te dire qu'on va rester avec vous pour la suite, si c'est toujours OK pour toi.

Sans me laisser le temps de réagir, il saute au sol et me serre dans ses bras en me tapotant l'épaule.

— Je suis vraiment content ! Tu as fait le bon choix.

Je regagne mon camping-car en essayant de me convaincre que j'en suis aussi sûre que lui. Les filles ne m'entendent pas entrer.

— J'aurais jamais pensé dire ça un jour, murmure Lily, mais même le collège me manque.

— J'en peux plus de vivre dans ce truc minuscule, renchérit Chloé. C'est bon, c'était sympa, on a vu de beaux paysages, on peut rentrer maintenant !

— Tu crois qu'il faut lui dire ?

— Non, ça va la vexer.

— Alors on fait quoi ?

Chloé réfléchit quelques secondes.

— On n'a qu'à lui faire regretter son idée et lui donner envie de rentrer, reprend-elle.

— Oh oui ! s'exclame Lily d'une voix excitée. On va rendre le voyage insupportable !

Je ressors tout doucement, prends un instant pour assimiler ce que je viens d'entendre, puis j'ouvre la porte bruyamment pour rejoindre mes adorables filles.

Lily

18 avril

Hej Marcel !

Jag heter Lily, jag är 12 år gammal.
(Comme t'as pas l'air de parler suédois, ça veut dire « Bonjour Marcel, je m'appelle Lily et j'ai 12 ans ».)

J'espère que tu vas bien et que tu n'as pas trop froid. Il faut que je te raconte quelque chose, mais j'ai trop peur que ma mère te trouve et réussisse à te faire parler, alors je vais te faire une charade.

Mon premier est un synonyme de nous.

Mon deuxième est le verbe « aller » conjugué au présent à la troisième personne du singulier.

Mon troisième est ce que fait un chat qui boit.

Mon quatrième est une plante à boules rouges qui pique les doigts.

Mon cinquième est la troisième lettre de l'alphabet.

Mon sixième est la première lettre de l'alphabet.

Je n'ai pas d'idée pour mon septième, alors je te le dis, c'est « bout ».

Mon tout est ce que Chloé et moi on va faire à ma mère.

Alors, t'as trouvé ?

Fais-moi un signe si tu as une idée.

Pfffff. T'es vraiment pas fute-fute.

Bon, je te donne la réponse, mais si un jour quelqu'un tombe sur toi (et que ce n'est pas moi), tu lui sautes au visage en te fermant d'un coup, et après tu pars en volant, OK ?

Alors, la réponse, c'est : « On va la pousser à bout. »

On va tout faire pour que ma mère veuille rentrer chez nous.

On en a parlé avec Chloé, c'est vrai qu'on a passé quelques bons moments ici, mais le camping ça va cinq minutes. Si on m'avait dit ça quand je suis née, je serais retournée dedans. Je veux retrouver ma chambre, mon lit, mes *Picsou*, mes pierres et mes minéraux, je veux pouvoir être seule et danser n'importe comment sans que Chloé se foute de moi. Elle aussi veut rentrer, pour une fois qu'on est d'accord, on s'est dit qu'il fallait en profiter.

Du coup, on a fait une première tentative cet après-midi, et on n'y est pas allées avec le dos de la main morte. On était en train de visiter une ville médiévale, Vadstena, au bord du lac Vättern. C'est vrai que c'était joli, mais les choses jolies se ressemblent toutes : une fois que tu en as vu une, tu les as toutes vues.

À un moment, ma mère voulait qu'on fasse le tour du château, Chloé m'a fait signe que c'était le moment, puis elle a dit qu'elle ferait bien une pause. On était au pied d'une tour, j'ai attendu que ma mère ne regarde pas, j'ai sorti Mathias de sous mon manteau et je l'ai posé à ses pieds, en espérant qu'il ne s'échappe pas. Elle ne l'a pas vu tout de suite. Faut dire qu'elle n'arrêtait pas de parler, et les douves par-ci, et les remparts par-là, elle a loupé sa vocation, elle aurait dû faire Wikipédia. Mon petit rat a dû comprendre ce qu'on attendait de lui, il s'est agrippé au jean de ma mère et il a commencé à remonter le long de sa jambe. À force, elle a appris à tolérer sa présence à quelques mètres d'elle, mais elle ne l'a jamais touché et elle crie chaque fois qu'elle le croise. J'ai vu ses yeux s'agrandir de terreur (à ma mère, pas à Mathias), elle s'est crispée, surtout quand sa longue queue (à Mathias, pas à ma mère) s'est enroulée autour de son mollet. Chloé m'a lancé un petit regard satisfait, moi, j'ai retenu mon souffle, j'ai eu peur qu'elle tire un pénalty avec mon rat. Eh ben, Marcel, tu me crois si tu veux, non seulement elle n'a pas crié, mais en plus elle m'a souri et elle m'a dit que Mathias était vraiment très affectueux. Je crois qu'elle était en état de choc.

On était dégoûtées, mais on ne lâche pas l'affaire, on ne va pas manquer la cloche. On va passer à la vitesse supérieure.

Allez, je te laisse, ce soir, c'est soirée « Mimes et imitations », ma mère a dit qu'on ne pouvait pas être les seules à ne pas y aller. Heureusement qu'il y a Noé. Hier, je lui ai montré comment on pouvait faire de la musique avec un verre, il a eu l'air de kiffer.

Bisous Marcel.
Lily
P-S : j'arrête pas de manger des Kanelbullar, c'est comme des petites brioches à la cannelle, je vais avoir le ventre plus gros que les yeux.

Les chroniques de Chloé

Ce matin, je me suis réveillée la première. Je suis sortie sans bruit, j'avais besoin de prendre l'air et de me retrouver seule. On est arrivés hier à Stockholm, où on doit passer trois jours. Maman n'a pas renoncé.

Louise, la fille des bourges, était en train de faire ses postures de yoga. Elle m'a saluée chaleureusement, je lui ai répondu du bout des lèvres. Je vois bien qu'elle essaie de se rapprocher de moi, elle vient me parler dès qu'elle en a l'occasion, mais je n'ai rien à lui dire. Notre âge est notre seul point commun. Elle porte des robes en laine et des collants assortis, elle sourit à tous ceux qu'elle croise, probablement même à ceux qui ont un tronc et des branches, elle parle d'une voix aussi douce qu'un tapis et, surtout, elle éternue en silence.

J'ai fait quelques pas pour ne plus la voir et je suis tombée sur les papys, qui prenaient leur petit déjeuner au soleil. Edgar m'a proposé de me joindre à eux, j'ai accepté. Diego est allé me chercher une chaise et je me suis assise. Le café était dégueulasse, comme tous ceux que j'ai bus jusqu'à maintenant. J'ai bon espoir d'y prendre plaisir un jour, la cigarette aussi. En attendant, je mets deux sucres et je crapote.

Les papys ne sont pas très causants, mais je savais quel sujet aborder pour ne pas avoir l'air d'en vouloir juste à leur cafetière.

— Comment s'appelaient vos femmes ?

Diego a soupiré, les yeux dans le vague :

— Madeleine. Elle rêvait de visiter Stockholm…

Edgar s'est levé en s'agrippant à la table et a marché avec difficulté jusqu'à l'intérieur de leur camping-car. Il en est ressorti quelques instants plus tard, un cadre photo dans la main.

— À gauche, c'est Madeleine, à droite, c'est ma Rosa, il a dit en me le tendant. Elles étaient très amies.

Sur le cliché, deux femmes aux cheveux argentés riaient aux éclats, bras dessus, bras dessous, apparemment au bord d'un lac.

— Elles sont avec nous chaque seconde. Ce voyage, nous le faisons pour elles. Ensuite, nous pourrons les rejoindre.

Diego a acquiescé :

— Toute ma vie, j'ai eu une peur phobique de la mort. Elle n'a pas disparu, mais, désormais, vivre sans mon épouse m'effraie encore plus que de mourir.

Edgar s'est mouché bruyamment. J'ai avalé mon café d'un trait et je me suis levée en les remerciant. J'ai toujours préféré être seule pour pleurer.

La plupart des filles de mon âge enchaînent les amourettes sans réellement s'attacher. Pas d'engagement, encore moins de sentiments. Moi, je ne cherche pas l'amour, je cherche l'homme de ma vie. Je veux qu'il occupe toutes mes pensées, je veux me sentir incomplète quand il est loin, qu'il me comprenne sans avoir besoin de parler, je veux tout connaître de lui et trouver ça rassurant, je veux avoir le ventre qui pétille quand je le regarde, je veux que sa voix me fasse frissonner, n'être heureuse que quand il est là. Je veux aimer comme Edgar et Diego aiment leurs femmes. Je veux être aimée comme maman par papa.

J'ai croisé maman et Lily en regagnant le camping-car. Elles allaient se renseigner sur la location de vélos. Le téléphone était dans le vide-poche, je l'ai attrapé et me suis assise sur le lit. Kevin n'avait toujours pas répondu, mais il était en ligne. J'ai pianoté les mots et j'ai envoyé le message avant de regretter.

« Salut Kevin, je voulais juste te dire que je pense à toi. Tu me manques. Bisous, Chloé. »

Immédiatement, la réponse s'est affichée. Mon cœur faisait le yoyo.

« Slt, tu pense à moi à kel point ? »

« Beaucoup »

« Prouve-le »

Je me demandais ce qu'il attendait de moi quand il a ajouté les sous-titres :

« Tes seins me manquent envoi 1 photo »

La corde du yoyo a craqué. Ce n'était pas exactement ce que j'attendais, mais peut-être que, chez Kevin, l'amour se manifeste ailleurs que dans le cœur.

J'ai regardé autour de moi, a priori personne ne pouvait me voir. J'ai retiré mes bras des manches et dégrafé mon soutien-gorge. D'une main, j'ai soulevé mon tee-shirt et mon pull, de l'autre j'ai dirigé l'objectif du téléphone vers ma poitrine. Je me demandais s'il valait mieux la prendre en plongée ou en contre-plongée quand la porte s'est ouverte. C'était maman. J'ai lâché le téléphone, mais pas le pull.

— Qu'est-ce que tu fais ? elle a demandé.

Je n'ai pas répondu, je considérais que la scène était assez explicite. Mais elle a insisté :

— Tu prends tes seins en photo ? Chloé, réponds ! Pourquoi tu fais ça ?

J'ai senti mon ventre se tordre. Les seins à l'air sur un lit même pas confortable, prête à échanger ma nudité contre quelques grammes d'amour, je me suis vue minable dans les yeux de ma mère. Je me sentais honteuse. En colère contre moi. Alors je m'en suis prise à elle.

— Fous-moi la paix ! j'ai rugi. Fous-moi la paix, sors de là ! Tu vois pas que tu m'étouffes, avec tes jugements et tes ordres ?

— Chloé, arrête tout de...

— Arrête quoi, hein ? Arrête de montrer tes seins, arrête de donner ton cul ? Mais maman, tu t'es déjà demandé pourquoi je faisais tout ça ? Tu t'es déjà demandé si t'étais pas un peu responsable ? Peut-être que si t'avais pas quitté papa, on n'en serait pas là...

Elle n'a pas bronché. Je voulais m'arrêter, mais ça débordait. Il fallait que je lui fasse mal. J'ai visé. J'ai armé. J'ai tiré.

— Et peut-être que si t'avais eu une mère, tu en serais une meilleure.

Anna

J'ai une mère. Elle s'appelle Brigitte. Je lui parle souvent. Je lui demande des conseils, elle est la première à qui je raconte ce qui m'arrive, je lui écris un poème chaque année, pour sa fête.

Elle est morte un vendredi. Les mimosas étaient en fleur, je venais d'en piquer quelques branches chez M. Blanchard, le voisin. J'ai remonté le chemin jusqu'à la maison en sentant le parfum des pompons jaunes, j'avais hâte qu'ils embaument le salon. C'étaient ses fleurs préférées.

Elle était allongée par terre, dans la cuisine, devant le four. Le gratin cuisait.

J'ai essayé de la relever, je l'ai secouée, je lui ai tapoté les joues, j'ai crié, j'ai supplié, j'ai pleuré. Une maman, ça se réveille toujours quand son enfant pleure.

« Maman, regarde, j'ai apporté du mimosa. Maman, s'il te plaît… J'ai récité ma poésie, le maître a dit que c'était bien, j'ai eu une image. Regarde mon image, maman ! Et puis j'ai vu un vol de grues, viens, on va dehors, maman, je suis sûre qu'on va en voir d'autres. Maman… Je t'en supplie, maman… »

Je voulais aller chercher de l'aide, mais je ne pouvais pas la laisser seule.

J'ai posé les mains sur sa poitrine et j'ai appuyé. Je l'avais vu faire à la télé, une fois, et le monsieur s'était réveillé. J'ai appuyé longtemps, jusqu'à ce que mes bras n'aient plus de forces. Alors, j'ai compris. Je suis allée chercher le plaid sur le canapé, je me suis allongée contre elle, mon visage dans son cou, je nous ai couvertes et j'ai fredonné les chansons qu'elle me murmurait tous les soirs.

Je chantais encore quand mon père est rentré du travail. C'est lui qui me l'a raconté. Il faisait nuit, le gratin était brûlé. Je me souviens juste des pompons de mimosa, éparpillés sur le carrelage froid de la cuisine.

J'avais huit ans et j'étais fille unique. Mon père avait trente ans et il était parent unique. Mémé avait cinquante-quatre ans et elle n'avait plus d'enfant. On a tressé nos douleurs pour n'en faire qu'une, énorme, dévastatrice, insurmontable. Nous espérions sans doute qu'à trois ce serait moins lourd à porter. Ce fut le contraire. Le chagrin de ceux que l'on aime décuple le nôtre.

J'ai grandi dans l'impatience de devenir mère.

Dès leur premier cri, ma vie n'a plus eu qu'un seul but : rendre mes filles heureuses.

Leur père m'a souvent reproché de leur accorder une trop grande place dans ma vie. Il avait raison, il était même en dessous de la réalité : je leur accorde TOUTE la place. Chacun de mes actes est dicté par l'envie de voir leur bouille éclairée d'un sourire. Ce n'est pas un sacrifice, en réalité c'est presque de l'égoïsme : les rendre heureuses me rend heureuse.

J'ai adoré ces années de petite enfance pendant lesquelles nous étions tout les unes pour les autres. Chloé, ma petite douce, qui ne s'endormait que contre moi, qui me dédiait tous ses dessins et me jurait qu'elle ne me quitterait jamais. Lily, ma petite comique, qui piquait mes jupes pour s'en faire des capes, qui me réclamait des histoires qui font peur, « siteplé maman chérie que z'aime et que z'adore ». Les regarder grandir fut mon plus beau spectacle.

J'ai un placard entier d'objets dont je n'ai pu me séparer. Leur premier pyjama, leur première sucette, tous leurs dessins, même ceux qui ne ressemblent à rien, les « cailloux tout doux » que Lily me rapportait chaque soir de l'école, le plâtre de Chloé, leur doudou, leurs dents de lait, leurs premières chaussures, le mobile qui leur chantait des chansons jusqu'à ce qu'elles s'endorment, « Doucement, doucement, doucement s'en va le jour... », et tellement d'autres souvenirs. J'y plonge rarement, parce que la nostalgie me submerge. On m'avait prévenue que le temps filait. Je n'imaginais pas à quel point.

J'ai l'impression que nous sommes tous à bord d'un bus qui avance inexorablement vers une direction commune. On s'y croise, on s'y perd, on s'y accompagne parfois. Certains en descendent avant le terminus. On ne peut pas le freiner, on ne peut pas l'arrêter quelques instants, on peut juste faire en sorte de s'y sentir le mieux possible.

Lorsque je suis montée à bord de ce bus, il y a trente-sept ans, je partageais mon siège avec deux personnes : mes parents. Jusqu'à ce que ma mère en descende. J'ai continué seule, mon père et ma grand-mère jamais loin. Mathias s'est assis à mes côtés, je m'y suis accrochée. Et puis, Chloé. Et puis, Lily.

Depuis, le voyage a un sens. Malgré les secousses, les accidents, je me sens bien dans ce bus. Je sais pourquoi j'y suis. Mais je devine déjà l'intersection. Elle approche, de plus en plus vite. Chloé va changer de siège. Lily aussi, un jour. Je me réjouirai pour elles, mais je pleurerai pour moi. Le paysage perdra de sa splendeur, l'assise de son confort. Le voyage n'aura plus d'intérêt. J'observerai ma vie défiler à travers la vitre.

Je ne prétends pas être une bonne mère. Mes filles vont mal, j'ai fait des erreurs. À chaque décision que j'ai prise, à chaque réaction que j'ai eue, je me suis demandé si c'était la bonne. Chaque action, même la plus insignifiante en apparence, a des répercussions. Les parents sont des funambules. On marche sur un fil tendu entre le trop et le pas assez, un colis fragile entre les mains.

Il faut être attentif, mais ne pas laisser croire à notre enfant qu'il est le centre du monde ; il faut lui faire plaisir sans qu'il devienne blasé ; il faut équilibrer son alimentation sans le priver ; il faut lui donner confiance, mais qu'il reste humble ; il faut lui apprendre à être gentil, mais à ne pas se laisser faire ; il faut lui expliquer les choses, mais pas se justifier ; il faut qu'il se dépense et qu'il se repose ; il faut qu'il apprenne à aimer les animaux, mais à s'en méfier ; il faut jouer avec lui et le laisser s'ennuyer ; il faut lui apprendre l'autonomie tout en étant présent ; il faut être tolérant, mais pas laxiste ; il faut être ferme, mais pas rude ; il faut lui demander son avis, mais pas le laisser décider de tout ; il faut lui dire la vérité sans atteindre son innocence ; il faut l'aimer sans l'étouffer ; il faut le protéger, mais pas l'enfermer ; il faut lui tenir la main tout en le laissant s'éloigner.

Ce road trip m'avait semblé être une solution. Ces dernières années, j'ai dû travailler davantage pour assumer les charges. J'ai pensé que mon absence était la cause du mal-être de mes filles, j'ai cru qu'être ensemble suffirait à colmater les fissures. Elles n'ont plus trois ans. Mes câlins ne suffisent plus à soigner leurs maux.

Peut-être que Chloé a raison. Peut-être que je n'aurais pas dû leur enlever leur père. Peut-être que, si j'avais eu ma mère à leur âge, si j'avais pu la prendre pour modèle, j'aurais fait moins d'erreurs.

J'entre dans le camping-car et je referme la porte derrière moi. Je m'approche de Chloé sans réfléchir, sans savoir si je vais lui hurler dessus ou essayer de discuter. Elle lève son visage vers moi, il est déformé de colère. C'est une femme que j'ai en face de moi, une femme qui me provoque et me déteste. Mais, tout au fond de ses yeux, dans ce bleu presque noir que lui a légué son père, je vois ma toute petite fille qui me demande de l'aide.

Lily

21 avril

Cher Marcel,

Ici, ça ne tourne pas rond, je te dis pas !

D'abord, il y a eu l'engueulade. J'ai entendu crier, c'était la voix de Chloé, je suis entrée dans le camping-car, elle était dans les bras de ma mère, elle n'arrêtait pas de répéter « pardon, pardon » et elles pleuraient toutes les deux. On aurait dit une comédie musicale sans la musique. J'ai demandé si quelqu'un avait coupé des oignons, elles n'ont pas répondu. Franchement, Marcel, je ne comprends pas à quoi ça sert de pleurer, surtout quand on sait que la planète manque d'eau, c'est du gaspillage.

Ensuite, il y a eu le drame. J'en ai encore la chair de poulpe. On était à Skansen, c'est un musée vivant, comme une ville arrêtée dans le temps. Il y avait des gens en tenue d'époque, on a visité une mercerie, une imprimerie, une vieille école et on a même vu un souffleur de verre, on se serait cru jadis ou naguère. J'ai bien aimé, jusqu'à ce que ma mère remarque que je n'arrêtais pas de me gratter la tête. Elle a voulu regarder, j'ai refusé, mais elle ne m'a pas laissé le choix, apparemment, je suis juste locataire de mon corps et c'est elle la propriétaire.

Quand elle a vu les poux, elle a fait un bond en arrière en criant que c'était une invasion, qu'il fallait trouver une pharmacie pour éradiquer tout ça. J'ai dit qu'il faudrait d'abord m'éradiquer moi, c'était hors de question qu'on tue mes poux, s'ils avaient choisi ma tête ce n'était pas par hasard, je devais les protéger. J'ai cru que ses yeux allaient tomber. Chloé riait tellement qu'elle en pleurait, elle devait penser que c'était un coup que je faisais à ma mère pour qu'on rentre, sauf que, cette fois, c'était la vérité. Ma mère a dit d'accord et on a continué la journée normalement.

Le soir, dans le camping-car, elles se sont jetées sur moi. Pendant que Chloé me bloquait, ma mère m'a pulvérisé du produit qui puait sur les cheveux. Je me suis débattue, j'ai hurlé que j'allais porter plainte pour non-assistance à poux en danger, mais elles n'en avaient rien à faire.

Mes pauvres petits poux sont tous morts dans l'assaut. Je leur ai fabriqué un cercueil dans une boîte d'allumettes et je les ai enterrés au pied d'un sapin en chantant « Je m'en irai dormir dans l'paradis des poux, où les ch'veux sont si longs qu'on en oublie le temps… ». Ma mère et Chloé ont voulu assister à la cérémonie, j'ai refusé la présence de ces meurtrières. Par contre, j'ai accepté Louise et Louis, même si j'avais l'impression que le petit se foutait un peu de moi.

D'ailleurs, c'est ça aussi qui ne tourne pas rond. Leurs parents, Françoise et François, sont complètement tarés. Figure-toi qu'ils les obligent à se laver à l'eau froide et à dormir sur des matelas fins et ils ont dix couronnes suédoises pour manger chaque jour. Louise m'a expliqué qu'ils vivent dans une très grande maison avec une piscine, des volets électriques et même un frigo qui fabrique des glaçons, ils ont des appartements dans d'autres pays et ils prennent l'avion plus souvent qu'une hôtesse de l'air. Du coup, c'est normal pour eux de vivre dans ce confort, ils n'ont pas la valeur de l'argent, c'est pour ça que leurs parents veulent leur montrer autre chose. Je ne comprends pas trop comment on peut ne pas avoir la valeur des choses, moi, je peux te dire que, si j'avais un frigo qui fabrique des glaçons, je lui ferais un massage tous les jours pour le remercier. Mais bon, ça n'arrivera jamais, je ne sors pas de la cuisse de Crésus.

Pour couronner le tout, mon père a téléphoné. Cette fois, j'ai été obligée de lui parler. Il m'a posé plein de questions sur comment ça se passe ici, j'ai répondu par oui et par non et je lui ai repassé ma sœur. Apparemment, il croit qu'on peut être père par télétravail.

Allez, je te laisse Marcel, j'ai le moral en berne ce soir (comme Stéphane), je ne suis pas de bonne compagnie.

Je te laisse par la plume, mais pas par le cœur. AESD.

Lily
P-S : j'espère qu'il y a un paradis des poux et qu'ils font des fêtes avec les puces et les morpions.

Les chroniques de Chloé

Maman m'a proposé une promenade dans la vieille ville de Stockholm, Gamla Stan, rien que toutes les deux.

Après le coup des poux, je pensais vraiment qu'elle voudrait rentrer, pourtant son enthousiasme est vierge. Avec Lily, on a cherché de nouveaux moyens de lui faire rebrousser chemin, mais je crois que, au fond, on sait l'une comme l'autre que le voyage va se poursuivre jusqu'à son terme, ne serait-ce que pour honorer la promesse faite à mémé. Finalement, ce n'est peut-être pas si mal. Ce petit jeu contre maman me plaît bien. Non seulement ça me fait rire, mais, surtout, ça faisait longtemps que je ne m'étais pas aussi bien entendue avec ma sœur.

J'ai accepté. Je ne me souviens pas de la dernière fois où j'ai passé un moment seule avec maman. Je me suis promis de ne pas être désagréable, pour me faire pardonner mes mots lors de notre dispute.

On a déambulé dans les ruelles pavées, on est entrées dans des boutiques toutes plus jolies les unes que les autres, on a emprunté la ruelle la plus étroite de la ville, Marten Trotzigs Gränd, on a mangé des bonbons. J'ai pris de nombreuses photos, les façades colorées qui contrastaient avec le ciel bleu, les reflets dans l'eau, maman qui pose sur le pont de Riksbron, maman devant le Palais-Royal, maman devant la cathédrale de Stockholm.

— Passe-moi ton appareil, je vais te prendre en photo, elle m'a dit à un moment.

Il a fallu qu'elle insiste. Prendre la pose me met mal à l'aise, surtout quand la personne qui photographie met un quart d'heure à cadrer, tout ça pour un résultat flou. Ça m'arrange, je n'aime pas mon image. On a beau me répéter depuis petite que je suis jolie, que je suis photogénique, que j'ai un beau visage, des yeux magnifiques, une bouche pulpeuse, un profil parfait, quand je me vois sur un écran ou dans un miroir, mes défauts m'agressent. Alors, chaque matin, dans la salle de bains, je m'adonne à un ballet parfaitement maîtrisé. Une noisette de fond de teint pour lisser ma peau, de la poudre brune pour creuser mes joues, un trait d'eye-liner, trois couches de mascara pour intensifier mon regard, du rouge pour colorer mes lèvres, une brumisation de parfum, quelques mèches enroulées autour du fer brûlant, j'enfile mon masque d'invulnérabilité.

On a eu un petit creux, alors on a acheté du strömming frit avec de la purée et on s'est assises sur un banc au bord de l'eau pour le manger. On avait presque fini quand maman a voulu avoir une conversation.

— Tu es en colère, Chloé ?

— Pourquoi tu penses ça ? j'ai demandé à mon tour, pour ne pas répondre.

Je sentais son regard sur moi, mais je fixais la rive d'en face.

— C'est une impression que j'ai. Je me trompe ?

J'ai essuyé ma bouche avec la petite serviette en papier.

— Je sais pas, c'est bizarre. Ça dépend des moments, en fait. Parfois, je suis triste, comme ça, sans raison, et la minute d'après je déborde de joie. Par moments, je bouillonne de colère, c'est terrible, alors je dis des choses méchantes, ça me met encore plus en colère, mais je n'arrive pas à les retenir. Je crois que je…

Je me suis interrompue. Formuler cette pensée qui m'obsède depuis quelque temps la rendrait trop réelle. Maman a insisté :

— Tu crois que quoi ?

— Non, rien.

— Chloé, tu peux me dire. Je ne suis pas ton ennemie, je veux juste essayer de te comprendre.

J'ai réfléchi un long moment. Me dévoiler m'est difficile. À chaque confession, c'est comme si j'épluchais une couche de protection. Cette information-là, particulièrement, était délicate. Si j'avais raison, il valait mieux la garder secrète. Mais si j'avais tort, peut-être que maman pourrait me rassurer. J'ai tourné la tête et j'ai plongé mes yeux dans les siens.

— Tu jures que tu ne me jugeras pas ?

— Je te le promets.

— D'accord. Je crois que je suis folle.

Elle a essayé de ne rien montrer, mais j'ai vu l'inquiétude imprégner son visage. Elle m'a pris la main.

— Je ne crois pas que tu sois folle. Tu es juste une adolescente, ma puce.

— Mais les filles de ma classe ne sont pas comme moi ! Je suis la seule à me poser des tas de questions, à changer d'avis en permanence, à ne pas contrôler mes émotions. Je sais bien que je suis hyper-sensible, mais quand même ! Je me sens tellement différente…

Elle n'a rien répondu, elle m'a juste caressé la main.

On n'est pas rentrées tard. Lily n'était pas encore revenue de la visite du musée du Vasa avec Marine et Greg. Maman s'est éloignée du camping-car, par la vitre j'ai vu qu'elle était au téléphone.

Juste après le dîner, elle m'a tendu son portable.

— Tiens. J'ai demandé à papy de scanner ça.

Elle m'a laissée seule. J'ai regardé l'écran, il y avait un texte écrit à la main. Puis un autre. Puis un autre. Puis des dizaines d'autres.

J'ai mis plus d'une heure à tout lire. Il s'agissait de poèmes pour la plupart, signés par ma mère. D'après les dates, elle avait entre quatorze et vingt ans. Jusqu'à ma naissance.

Avec beaucoup de poésie et de mélancolie, elle y évoquait le temps qui passe, l'absence, la mort, l'enfance, l'abandon, elle cherchait un sens à la vie, elle parlait des drames dans le monde, de l'amour, de la solitude, de la peur, elle dédiait plusieurs textes à sa mère, à son père, à sa grand-mère, à celle qu'elle était petite, aux enfants qu'elle aurait un jour.

Depuis que je suis née, on n'a cessé de s'extasier sur ma ressemblance avec mon père. Mes boucles rousses, mes yeux bleu foncé, mes jambes fines. Ma mère ne semblait pas en prendre ombrage, elle souriait, comme si ça lui était égal. Sans doute parce que, au fond d'elle, elle savait qu'en réalité, celui des deux auquel je ressemble le plus, c'est elle.

Anna

— Très élégants, ces rideaux à fleurs ! lance Marine en caressant le tissu.

Je la remercie, avant de saisir l'ironie. Si Jeannette n'avait pas épousé mon père, on pourrait affirmer qu'elle a des goûts douteux.

J'ai invité Marine et Greg à dîner pour les remercier d'avoir emmené Lily visiter le musée du Vasa. Elle avait insisté pour y aller, elle a finalement détesté.

— Je vois pas l'intérêt de faire un musée pour un bateau qui a coulé, comme si c'était un exploit, déclare-t-elle alors que tout le monde se serre autour de la table. Bientôt, on va faire des statues pour les avions qui se crashent.

Marine éclate de rire.

— Je la kiffe, cette gosse ! Elle me donnerait presque envie d'en avoir !

Je remplis chaque assiette de boulettes de viande, sauf celle de Lily, qui a subitement décidé de devenir végétarienne, et celle de Chloé, qui a trop mangé à Gamla Stan. Elles sont discrètes, mais je surprends le sourire complice qu'elles échangent. Je m'adresse à mes invités :

— Alors, si j'ai bien compris, c'est votre voyage de noces ?

— Disons qu'on l'a prolongé, répond Greg en piquant une boulette de sa fourchette. À la base, on devait juste faire un tour d'Europe rapide, mais on a tellement aimé le camping-car qu'on a voulu continuer. On a fait les comptes et on a pris une année sabbatique. Hmm, elles sont délicieuses !

— Merci ! Je n'y suis pas pour grand-chose, je les ai trouvées chez un traiteur à Stockholm, il me suffisait de les réchauffer. Je vais ouvrir une seconde bouteille de vin, qui en veut ?

— Toujours partante pour du vin ! lance Marine en tendant son verre. Bon, et vous alors ? Pourquoi ce voyage entre meufs ? Il est où, le papa ?

J'avais remarqué que Marine était du genre direct, je n'imaginais pas à quel point. Greg lui assène un petit coup de coude.

— Ben quoi ? s'étonne-t-elle. Tous les autres se posent la question, moi, je préfère demander en face !

Je m'apprête à répondre quand Lily me devance.

— Il nous a abandonnées.

— N'importe quoi ! rétorque Chloé. Il nous appelle régulièrement, s'il pouvait, il nous prendrait plus souvent !

— Tu parles ! Tu crois vraiment qu'il n'a pas les moyens de nous recevoir ?

— Les filles, ça suffit… interviens-je.

— Ça n'a rien à voir ! s'emporte Chloé. C'est maman qui ne veut pas qu'il nous voie, c'est lui qui me l'a dit !

Je repose bruyamment la bouteille, pour calmer mes filles autant que mon cœur qui s'est emballé. Marine tente une diversion :

— Les boulettes déchirent vraiment. Vous devriez en prendre, les filles, vous manquez quelque chose !

Lily lance un coup d'œil furtif à sa sœur, qui boude ostensiblement. Sa colère ne fait toutefois pas le poids face à sa curiosité. Lentement, elle décroise les bras, remplit son assiette et, du bout des lèvres, goûte la sauce. Ses sourcils se froncent, elle fait une seconde tentative, puis passe la fourchette à sa sœur, qui la lèche à son tour. L'air de rien, je poursuis la conversation avec Marine et Greg, sans montrer que je saisis très exactement le dialogue muet qui se joue entre elles.

Lily : Ça ne pique pas !

Chloé : Je sais, je ne comprends pas !

Lily : T'es sûre que t'en a mis assez ?

Chloé : J'ai vidé le tube ! Ils devraient avoir la bouche en feu…

Lily : Il n'y a pas de feu sans fumée.

Je me retiens de rire. Mes exquises filles sont loin d'imaginer que j'ai trouvé le tube de harissa vide dans la poubelle, que j'ai rincé les boulettes et improvisé une autre sauce. Elles sont loin d'imaginer qu'elles ne sont pas que deux à jouer et que leur mère n'a jamais aimé perdre.

J'ai la tête qui tourne lorsque Marine et Greg regagnent leur camping-car. Le vin suédois se boit facilement. Lily écrit dans son cahier, Chloé se démaquille. Un voyant vert clignote sur le téléphone.

Je ne fais pas exprès d'ouvrir le message. Je voulais juste voir l'heure. La photo s'impose sur tout l'écran, agressive, violente. En légende, un certain Kevin écrit : « À ton tour ! »

J'ai la nausée. Qu'ai-je loupé pour que ma fille pense qu'on doive se séduire en échangeant des photos de son intimité ? Qu'ai-je mal fait pour que mon bébé croie que les préliminaires commencent par message privé ?

Je fais disparaître cette vision d'horreur et rédige la réponse.

« Bonsoir Kevin, je suis la maman de Chloé. J'aurais préféré connaître votre visage avant votre pénis, mais je présume que vous êtes timide. Puisque votre relation est si avancée, il est temps de nous rencontrer, nous pourrons ainsi discuter des détails du mariage. Conviez donc vos parents, ma fille a hâte de leur présenter son vagin. À très bientôt, mon cher gendre.

Belle-maman
P-S : couvrez-vous, ce serait dommage de vous enrhumer. »

Envoyer.

Effacer les traces.

Regretter.

Dormir.

Lily

24 avril

Cher Marcel,

J'espère que tu vas bien ! Moi ça va, merci.

On vient d'arriver à Falun, ma mère et ma sœur ne font que pousser des cris de joie chaque fois qu'on croise une maison en bois rouge ou un lac, on se croirait dans un concert de Justin Bieber. Moi, j'en peux plus de toutes ces forêts, de tous ces arbres, il y en a partout, je m'attends à voir débouler Charles Ingalls à tout moment.

Je t'ai déjà parlé de Noé, le garçon qui ne dit rien. J'aime bien passer du temps avec lui, peut-être justement parce qu'il ne dit rien, ou alors parce qu'il a des gestes doux. Quand je le regarde, ça me fait comme la fois où ils m'avaient donné un cachet pour me détendre avant mon opération de l'appendicite.

Hier soir, j'ai voulu lui présenter Mathias. J'ai demandé à son père si je pouvais le voir, il m'a fait monter dans leur camping-car, Noé était allongé sur son lit, il regardait des lumières qui bougeaient au plafond. Je me suis assise à côté de lui, je lui ai parlé (j'étais pas sûre qu'il m'avait vue), j'ai sorti Mathias de sous mon pull et je l'ai posé sur la couverture. Je lui avais bien expliqué qu'il fallait y aller doucement, pourtant il a couru vers la tête de Noé et s'est caché sous ses cheveux. Noé s'est levé d'un coup, il hurlait, hurlait, hurlait, il ne reprenait pas son souffle. J'ai essayé de le calmer, je lui caressais le bras, mais c'était pire, alors j'ai attrapé Mathias et je l'ai remis sous mon pull. Le père de Noé est arrivé en courant, il a serré son fils en lui tenant les bras, il m'a regardée méchamment et m'a dit de partir. De dehors, j'entendais encore Noé crier. Je ne voulais pas lui faire peur, je le jure, je voulais juste lui faire plaisir.

Plus tard, Julien est venu nous voir dans notre camping-car. Ma mère était en pyjama moche, je voyais bien qu'elle avait honte, mais elle l'a laissé entrer.

Il m'a demandé ce qui s'était passé, j'ai expliqué et ma mère m'a fait les gros yeux. Julien a dit que ça partait d'un bon sentiment, mais qu'avec Noé il faut y aller doucement, il faut pas mettre la charrue avant de l'avoir tuée. Apparemment, il est atteint d'autisme, du coup il ne parle presque pas, il crie un peu, il n'aime pas qu'on le touche, qu'on le regarde, on peut échanger avec lui, mais pas comme on le fait entre nous. Il adore les lumières, les choses qui tournent, les chevaux, et ce qu'il préfère c'est la nature, les arbres, les montagnes, les grands espaces, les étoiles, la pluie, les aurores boréales, le soleil de minuit… Du coup, Julien a arrêté son travail pour le faire voyager, et le reste du temps Noé va dans une école spécialisée.

Quand Julien est reparti, ma mère m'a dit qu'il fallait que je sois gentille avec lui, que je ne devais pas me moquer parce qu'il est différent. J'ai rien répondu, mais je ne comptais pas me moquer. À l'école, c'est moi la différente.

Gros bisous Marcel.
Lily
P-S : t'as remarqué qu'à une lettre près, autiste, ça fait artiste ?

Lily

25 avril

Oh là là, Marcel, c'est encore moi !

Tu la vois ? Dis-moi que tu la vois ! T'as vu comme elle est belle ???

Whaouuuuuuuuuuuuuuuuuuuuuuuuuuuuuuuuuuuuu uuuuuuuuuuuuuuuuuuuuuuuuuuuuuuuuuuuuuuuuuu uuuu !!!

Les chroniques de Chloé

Je n'espérais pas en voir, on nous avait dit qu'elles étaient rares à cette période, car il n'y a pas de vraie nuit, juste de longs crépuscules.

Je dormais profondément quand quelqu'un a violemment cogné contre la porte du camping-car. C'était Julien, qui nous criait de sortir vite. Il était plus de minuit, j'ai failli replonger la tête sous la couette. J'aurais eu tort.

Le froid m'a saisie. La nuit en Suède, ça ne rigole pas. Julien, Noé et tout le groupe étaient dehors, le nez levé vers le ciel. Lily a poussé un cri. J'ai ouvert la bouche en grand.

Au-dessus de nous, une aurore boréale effectuait un ballet hypnotisant. C'était comme un immense foulard de soie qui flottait langoureusement dans le ciel sombre. Un voile vaporeux qui dansait dans un halo de lumière verte et rose. Des vagues qui déferlaient sur les étoiles.

Je me suis souvenue de l'exposé de Lily, les vidéos qu'elle regardait pour le préparer me fascinaient. Mais ça n'avait rien à voir avec ce que je ressentais là. C'était indescriptible. C'était puissant.

On a admiré ce spectacle jusqu'à la fermeture du rideau. On a espéré un rappel, il n'y en a pas eu. On a regagné nos camping-cars, les mêmes mots à la bouche : « fabuleux », « incroyable », « magique », « grandiose ». Je me suis glissée sous la couette, j'ai remué les jambes pour réchauffer le drap, j'ai posé la main sous l'oreiller, sur la photo de papa, et je me suis endormie avec le sourire aux lèvres.

Les chroniques de Chloé

On a pris le bateau pour la petite île de Trysunda, dans le golfe de Botnie. Maman avait vu sur Internet qu'on y trouvait un village de pêcheurs préservé, figé dans le temps. Je ne m'attendais pas à ce que ce soit aussi beau. Tellement que, si Lily n'avait pas été aussi excitée par notre nouvelle idée pour faire capituler maman, je ne l'aurais sans doute pas mise en œuvre.

Imaginez. Une anse bordée de petites maisons rouges sur pilotis qui se reflètent dans l'eau foncée, des jardins soignés ceints de barrières blanches, des toitures vertes, des bateaux de pêche attachés à des pontons et une forêt de sapins qui encercle l'ensemble comme des bras protecteurs, le clapotis de l'eau, les chants des oiseaux, du vent dans les cimes, l'odeur de résine : le lieu appelait à la sérénité.

On avait prévu un pique-nique, pour passer la journée sur l'île. Après avoir pris de nombreuses photos du village de pêcheurs, on s'est enfoncées dans les bois pour traverser l'île. Lily râlait :

— J'ai rêvé que je me transformais en arbre et que des bûcherons me sciaient les bras pour se faire du feu. C'est en train de me rendre folle !

Moi, j'étais bien. Marcher entre les conifères, écouter le silence se faire couper la parole par le vent, fouler la terre et les cailloux m'apaisait. Le boucan dans ma tête était bercé par la forêt.

Lily a arrêté de bougonner quand on a atteint l'autre côté de l'île. Face à nous, la mer était déchaînée. Les vagues se fracassaient contre les pierres blanches avant de faire marche arrière pour prendre de l'élan. Les bourrasques faisaient voler mes cheveux, les embruns fouettaient mon visage.

On s'est posées à l'orée de la forêt, à l'abri des rafales, et maman a sorti les sandwiches qu'elle avait préparés. J'ignorais les injonctions silencieuses de Lily à enclencher notre dernier stratagème, mais elle ne m'a pas laissé le choix.

— Chloé, t'avais pas quelque chose à annoncer à maman ?

Je lui ai mis un coup de boule du regard. Maman a haussé les sourcils :

— Ah bon ? Je t'écoute !

Je savais ce que je devais dire, mais, même si c'était pour de faux, ce n'était pas facile. J'avais peur de sa réaction, peur de la blesser, de l'angoisser. On serait bien si elle nous faisait une attaque de panique sur une île presque déserte.

Je me suis éclairci la voix et j'ai récité mon texte, sous le regard excité de ma sœur.

— Voilà, je, euh… En fait, j'avais un peu de retard, alors j'ai acheté un test à la pharmacie à Stockholm, tu sais, quand tu m'as laissé une heure de liberté.

J'espérais ne pas avoir à finir ma phrase, mais elle me dévisageait en silence, m'encourageant à poursuivre.

— Je sais pas trop comment te le dire…

Lily, elle, savait :

— Bon, on va pas couper les cheveux en quatre chemins, Chloé est enceinte !

J'ai prudemment reculé, au cas où la main de maman s'élancerait vers ma joue, mais elle n'a pas bougé. Pendant de longues secondes, j'ai cherché un indice sur son visage, mais elle était impassible. Une statue de cire. Lily l'a touchée du bout du doigt, sans doute pour vérifier qu'elle était toujours vivante. Maman a levé les yeux vers moi, ils étaient emplis de larmes.

— Oh, ma chérie ! Je suis tellement heureuse, si tu savais ! Il y a si longtemps que j'attendais ce moment…

J'ai essayé de ne pas laisser paraître mon trouble. Elle n'arrêtait plus de parler.

— Ce serait bien que ce soit un petit garçon, on pourrait l'appeler Tom, j'ai toujours aimé ce prénom ! Oh là là, je vais être mamie. Merci ma puce, c'est le plus beau cadeau que tu pouvais me faire !

Elle s'est jetée sur moi et m'a serrée dans ses bras, tellement fort que, si j'avais réellement été enceinte, j'aurais accouché d'un bébé plat. Je me suis laissé faire, les bras le long du corps. Face à moi, ma sœur nous observait, l'œil fixe, la bouche béante, parfaite illustration de l'hébétude.

Anna

La nuit rétrécit, la température aussi, nous approchons du cercle arctique. Chloé avait très envie de visiter Umeå, Julien n'ayant cessé de vanter les charmes de cette ville nichée au cœur de la nature. J'ai eu du mal à réprimer un fou rire face à sa mine effarée lorsque je lui ai annoncé que je préférais qu'elle reste au camping-car. Dans son état, c'était plus prudent.

Lily, coiffée de son bonnet à oreilles de lapin, commente tout ce que nous croisons. Françoise et François ne cessent de lui adresser des regards entendus, mais je soupçonne ma fille d'y trouver une sorte de motivation.

— Vous ne devez pas vous ennuyer ! me glisse Diego alors que nous entrons dans le musée de l'Image.

Je souris. Hier soir, Julien nous a proposé une visite groupée de cette ville qu'il affectionne. Dès notre installation sur l'aire des camping-cars, il est parti louer un minibus et, depuis le début de la journée, il nous fait découvrir les sites incontournables : le parc de sculptures d'Umedalen, le lac Nydalasjön, la réserve naturelle... Seuls Chloé et Edgar, fatigué, ne sont pas des nôtres.

Au troisième étage, nous pénétrons dans une pièce plongée dans le noir. Au mur et au plafond, des formes lumineuses se font et se défont sous le regard captivé de Noé.

— Il est très attachant ! glisse Greg à Julien. Tu t'occupes de lui à temps plein ?

— Maintenant, oui. J'étais chef de cuisine, mais j'ai arrêté il y a trois ans, pour le faire voyager. Il adore la nature, surtout en Suède et en Norvège. Si je pouvais, on viendrait y vivre, mais il est très attaché à son école, il a besoin d'y aller régulièrement. Alors on alterne, on fait deux road trips par an, toujours les mêmes étapes, ça lui plaît, il commence à avoir des repères.

— Toujours en voyage groupé ?

— Avant, on n'était que tous les deux, c'était bien, mais j'aime l'idée de rencontrer d'autres personnes et je suis persuadé que ça fait du bien à Noé. Je suis inscrit sur un forum de camping-caristes et, l'année dernière, un couple cherchait un guide pour partir en Scandinavie. Je me suis proposé et deux familles se sont ajoutées. Maintenant, on fait comme ça chaque fois.

— Sa mère est morte il y a longtemps ? demande Marine, la diplomatie toujours chevillée au corps.

Julien caresse sa barbe naissante avec un sourire gêné.

— C'est drôle, tout le monde est persuadé que ma femme est morte, comme si c'était impossible qu'un homme s'occupe de son enfant ! Elle est partie il y a cinq ans. Noé en avait huit.

Le regard étonné du jeune couple le pousse à développer :

— Je ne la blâme pas, elle s'est battue les premières années, elle était persuadée qu'elle arriverait à le sortir de l'autisme. Elle a essayé toutes les méthodes : ABA, TEACCH, PECS, la psychanalyse, le guérisseur, le régime sans gluten et sans caséine, elle refusait d'admettre qu'il ne pourrait peut-être jamais lui faire de câlins, lui raconter sa journée, jouer avec d'autres enfants, l'appeler « maman ». Quand elle a compris, elle n'a pas supporté. Un soir, je suis rentré du travail, elle m'a laissé Noé et est allée faire une course. Elle n'est jamais revenue, elle avait vidé les placards dans la journée.

Il raconte l'histoire comme s'il s'agissait de celle d'un autre, le regard dans le vague.

— Elle m'appelle de temps en temps pour s'assurer que tout va bien. Elle s'excuse chaque fois, elle pleure beaucoup. C'était trop dur pour elle. Elle se dit que Noé ne se rend pas compte de son absence, peut-être qu'elle a raison.

— Tu ne lui en veux pas ? interroge Greg.

— Je sais pas. Parfois, je suis en colère, je me demande comment elle peut se passer de lui aussi facilement en ayant vécu avec lui toutes ces années. J'en serais incapable.

Françoise, François et leurs enfants, qui étaient passés directement dans la pièce suivante, nous rejoignent.

— On avance, vous venez ? propose Françoise.

— Je vais rester un peu ici, répond Julien. Noé a l'air d'apprécier. Mais continuez sans nous, on se rejoint dehors dans une heure ?

Tout le groupe obéit, sauf Lily et moi. Je n'ai pas le cœur à laisser Julien seul après ses confidences. Lily se poste à côté de Noé. Son regard passe du visage de l'adolescent aux lumières qu'il contemple. Je me tourne vers Julien.

— Je crois qu'elle essaie de comprendre comment il fonctionne.

— Elle est géniale, ta gamine. C'est la première fois qu'un enfant de cet âge s'intéresse à lui.

— Oui, elle est chouette. D'habitude, elle ne va pas trop vers les autres, elle préfère les animaux, mais il se passe quelque chose avec ton fils.

Nous nous appuyons contre le mur et observons nos enfants, détenteurs silencieux d'une émotion commune.

Il est presque l'heure de rejoindre les autres lorsque Françoise surgit en courant, l'air paniqué.

— Venez vite, venez vite ! Il est arrivé une catastrophe !

Lily

2 mai

Cher Marcel,

Ça roule ? Moi, ça va, au cas où ça t'intéresserait. Tes parents t'ont pas appris la politesse ? Bon, vu que je suis pas rancunière, je vais quand même te parler, surtout qu'il s'est passé un truc de malade.

On était en train de visiter un musée trop relou (à part la partie avec les lumières, c'était joli, même Noé souriait) quand Françoise est arrivée en criant, on aurait dit qu'elle avait vu son reflet dans le miroir. En fait, c'était Marine qui avait fait un malaise. Elle était là, et hop, d'un coup, elle était plus là. Tout le monde a eu peur, parce qu'elle a mis du temps à se réveiller, et parce qu'elle s'est cogné la tête contre le mur, ça saignait bien, j'ai failli tourner des yeux.

Les pompiers l'ont emmenée à l'hôpital pour faire des examens, Greg était paniqué, ça se voyait sur son front qui ressemblait à un accordéon. Ils y ont passé toute la nuit, du coup on a gardé Jean-Léon, j'étais

155

contente, mais pas trop quand même parce que j'aime bien Marine.

J'ai présenté Mathias à Jean-Léon. Mon rat a fait un peu son snob, il n'a pas voulu lui faire un bisou, je sais pas si c'est ça qui a vexé Jean-Léon, mais il lui a montré les dents, alors ils ont fait chambre à part.

On a attendu que Marine revienne pour reprendre la route. Elle avait un pansement sur la tête, apparemment ils lui ont fait des points de soudure. Elle avait l'air fatiguée. En revanche, Greg il avait l'air content de la retrouver. C'est lui qui a conduit et Julien et ma mère ont escorté leur camping-car, au cas où elle ferait un autre malaise.

Le soir, c'était soirée sur le thème de la Suède, parce qu'on passera bientôt en Finlande, du coup il fallait qu'on dise au revoir comme il se doit. On a mangé des bakpotatis, de la purée, du hareng, et ces barbares ont dévoré du renne. J'ai failli vomir, mais Marine a été plus rapide que moi. Il y en avait partout, mais Greg lui caressait le dos, l'amour, c'est dégueu. Après, elle a pleuré et elle a annoncé qu'à l'hôpital ils lui avaient dit qu'elle était enceinte. Tout le monde l'a félicitée, alors elle a pleuré encore plus. Elle a dit que c'était pas prévu, qu'elle n'était pas prête, qu'elle allait porter plainte contre Manix (je sais pas qui c'est). Diego a affirmé qu'on ne refusait pas un cadeau comme celui-là, elle a répondu qu'elle le savait, qu'au fond elle était contente, mais que maintenant que le cadeau était dedans, il allait devoir sortir et ça lui faisait peur. Françoise a raconté qu'elle avait failli mourir tellement ça lui avait fait mal, François lui a dit de se taire, elle a ajouté qu'elle

avait une collègue qui était morte, pour de vrai, elle.
Marine a revomi.

Quand on est parties se coucher, ma mère avait les
yeux brillants, elle n'arrêtait pas de dire que c'était
merveilleux, toutes ces grossesses, ça lui rappelait les
siennes.

Ah ben, faut que je te laisse, elle vient de nous
rejoindre dans notre lit.

Bisous Marcel
Lily
P-S : tu pourrais dire au revoir aussi.

Anna

Nous sommes toutes les trois, allongées sur le dos sur le lit étroit, fixant la pénombre.

« Pour toi, ma Chloé, j'ai su que j'étais enceinte un samedi soir. Je l'espérais, du fond du cœur. Depuis plusieurs mois, je vivais l'arrivée de mes règles comme un véritable drame. Là, j'avais un jour de retard, trop tôt pour savoir, trop tard pour ne pas espérer. Je ne pensais qu'à ça. On avait Brownie, notre chienne, depuis quelques mois. Elle n'était pas câline, plutôt craintive. Mais, ce soir-là, elle n'arrêtait pas de me tourner autour. Quand je me suis assise sur le canapé, elle est montée, elle a reniflé mon ventre pendant de longues secondes, puis elle a posé la tête dessus. Quelques jours plus tard, mon test de grossesse était positif.

Je suis devenue mère avant même de te rencontrer. Je te sentais grandir en moi, je te parlais, je caressais mon ventre sans arrêt, je mangeais des fruits, des légumes, j'évitais certains mouvements, je bougeais, je prenais soin de mon corps comme je ne l'avais jamais fait. Pour la première fois, je l'aimais. Pour la première fois, il avait une utilité. Je t'imaginais, je me demandais si tu me ressemblerais, ou plutôt à ton père, si tu dormirais beaucoup, si tu serais gourmande, si tu aurais des cheveux, des yeux bleus, tous tes doigts.

J'ai été malade, je ne supportais aucune odeur, je me transformais à la moindre contrariété, j'ai même insulté une vieille dame un jour, parce qu'elle était passée devant moi à la caisse du supermarché, mais qu'est-ce que j'ai aimé être enceinte ! À l'approche du terme, j'étais partagée entre la hâte de pouvoir te serrer dans mes bras et la nostalgie de ne plus t'avoir rien qu'à moi.

Et puis, tu es née. Ma petite puce, ma petite câline. Tu es arrivée en douceur, sans faire de bruit, la sage-femme t'a tapé les fesses pour que tu pleures, et tu as pleuré. Ça m'a déchiré le cœur, je t'ai prise dans mes bras, je t'ai caressée, je t'ai sentie, j'ai compté tes doigts. Je me sentais bizarre, j'avais envie de pleurer et de danser en même temps, c'était comme s'il manquait une partie de moi, pourtant je ne m'étais jamais sentie aussi complète.

Tu as dormi six heures. Je t'observais, je n'en revenais pas. Je pensais beaucoup à ma mère. Je me suis endormie à mon tour, mon index entouré de tes petits doigts, en me disant que, désormais, mon bonheur serait étroitement lié au tien. Quand tu serais malheureuse, je le serais encore plus. Quand tu serais heureuse, je le serais encore plus. »

Silence.

Sous la couette, les filles sont immobiles. Pourvu qu'elles ne soient pas endormies.

« Toi aussi, ma Lily, je t'ai espérée longtemps. Je n'y croyais plus vraiment quand tu es venue t'installer dans mon ventre. Ce n'est pas Brownie qui t'a sentie, c'est moi. Quand j'ai pleuré devant une pub pour du jambon, j'ai compris le message envoyé par mes hormones. J'étais la plus heureuse, mon rêve d'avoir deux enfants devenait réalité, j'étais incapable de penser à autre chose.

Je n'ai pas été malade, mais je passais mon temps à manger, j'avais des envies folles de cornichons. Je grossissais à vue d'œil et je m'en fichais. À l'échographie, ils m'ont annoncé un garçon. J'ai ressenti une petite pointe de déception, mais c'est vite passé. J'aurais adoré que Chloé ait une sœur, mais ne dit-on pas que c'est le choix du roi ? J'ai tout préparé pour ton arrivée, des pyjamas bleus, des petits pantalons, des bavoirs brodés à ton prénom. Tom.

J'avais moins peur que la première fois. Il n'y avait plus cette part d'inconnu, je savais ce qui m'attendait. Je savais que j'allais souffrir, mais que j'oublierais instantanément la douleur dès que je verrais ton visage. Je savais la vague de bonheur intense, infini, explosif, qui allait déferler en moi quand je sentirais ton minuscule corps contre le mien. Je le savais, pourtant, c'était encore plus fort. La réalité dépasse les souvenirs.

C'était comme une éruption volcanique, je débordais de bonheur. Tu pleurais fort, ma petite tornade, tu serrais tes petits poings et tes paupières, et tu n'étais pas un garçon. Tu ne t'es pas calmée quand on t'a posée sur moi, ni quand je t'ai parlé doucement. Tu hurlais, tu n'étais pas contente, je te regardais prendre tes premières bouffées de vie, et je me suis dit que, désormais, mes émotions seraient étroitement liées à toi. Quand tu serais en colère, je le serais encore plus. Quand tu serais euphorique, je le serais encore plus. »

Silence.

Silence.

— Vous dormez ?

— Non, murmure Chloé.

— Non, souffle Lily.

Encore plongée dans ces souvenirs magiques, je sens les larmes me monter aux yeux. Je ne m'attendais pas à des effusions, je connais mes filles. Mais une réponse, un mot, un geste. Si seulement je pouvais les sentir encore une fois, minuscules, blotties contre moi. Si seulement mes mots pouvaient encore les rassurer, mes baisers les guérir, mes bras les consoler. Si seulement elles pouvaient encore n'avoir pour seuls tracas que le bien-être de leurs nounours ou le nombre de dodos avant Noël.

Je m'apprête à retourner sur ma banquette lorsque je sens la main de Chloé bouger. Doucement, ses doigts s'enroulent autour de mon index. Je ne bouge pas, je ne respire plus.

Ma toute petite.

De ma main libre, j'attrape celle de Lily. Elle ne réagit pas. Je reste ainsi de longues minutes, à savourer, puis je me glisse hors du lit.

— Bonne nuit, mes petites chéries.

— Bonne nuit, maman, murmure Chloé.

— Maman, Mathias m'a demandé de te dire quelque chose, lâche Lily.

— Je t'écoute.

Elle fait mine d'écouter ce que lui raconte son rat.

— Il dit qu'il est content d'être tombé dans cette famille.

Les chroniques de Chloé

C'était notre dernier jour en Suède.

On ressentait encore les effets secondaires des mots de maman, qui nous avait raconté notre venue au monde. On souriait pour pas grand-chose, on se parlait avec douceur, je n'ai même pas râlé quand Lily a fini les céréales au petit déjeuner ni quand maman me répétait qu'elle était heureuse de devenir bientôt mamie.

C'était même étrange, à un moment je me suis surprise à y croire vraiment, et c'était bien, parce que, pour la première fois depuis très longtemps, je ne me sentais pas seule.

Sur la route entre Skellefteä et Luleå, on a écouté de la musique, on a même chanté quand on sélectionnait des chansons qu'on connaissait toutes les trois, Cabrel, Ed Sheeran, Grand Corps Malade, Beyoncé, Stromae… On était à l'avant, côte à côte, tout le chemin. Tout à coup, Lily a hurlé. Maman a freiné pile. J'ai dégainé mon appareil photo. À quelques mètres de nous, un troupeau d'élans traversait la route tranquillement. Ils étaient majestueux. On n'en avait jamais vu ailleurs que sur notre petite télé. On en a parlé jusqu'à notre arrivée.

On a visité Gammelstad, un village-église, Julien nous avait expliqué que cela n'existait qu'en Scandinavie. Ce sont de petites maisons de bois construites autour d'une église, qui sont occupées les jours de culte par les habitants des environs. Le reste du temps, le village est vide. On a arpenté les ruelles, on s'est prises en photo devant des fenêtres ornées de rideaux blancs et, en s'approchant du bâtiment, on s'est rendu compte qu'un office était donné.

On est entrées sur la pointe des pieds et on s'est assises au fond. C'était une femme qui officiait, on ne comprenait rien, mais la foi des fidèles n'avait pas besoin de traduction.

Ça n'a duré qu'une dizaine de minutes jusqu'à la fin. On a voulu sortir rapidement, pour ne pas gêner, mais un vieux monsieur nous a rattrapées et nous a invitées à partager un thé avec eux.

C'était un moment doux, on s'imprégnait de leur culture, ils s'intéressaient à la nôtre, on s'est quittés avec regret, en sachant qu'on ne se reverrait pas, mais qu'on ne s'oublierait pas non plus.

C'est ce que j'aime, dans les voyages. C'est pour ça, pour ces rencontres, que j'aurais voulu partir en Australie. Me nourrir des autres, m'enrichir, grandir. Dans notre HLM, j'ai l'impression de me ratatiner.

On a mangé toutes les trois dans le camping-car, des pâtes au fromage, assises sur le lit, la couette sur nos jambes. Maman m'avait servi double dose, pour le bébé. On avait presque fini quand le téléphone a sonné. C'était papa. Il a pris quelques nouvelles, et puis il a voulu que je lui passe maman. Elle était aussi étonnée que moi. Il ne souhaite jamais lui parler. Elle lui a demandé si tout allait bien et, au bout d'un moment, elle est sortie. Quand elle est revenue, elle faisait comme si tout allait bien, mais ses mains tremblaient tellement qu'elle a dû s'y reprendre à deux fois pour fermer le verrou.

— Qu'est-ce qu'il y a ? j'ai demandé.

— Rien, rien.

— Il voulait quoi ?

Pas de réponse.

— Maman, ça va ? Tu fais une attaque de panique ?

Elle m'a regardée, j'ai lu la terreur dans ses yeux. Elle s'est allongée sur le lit, on l'a couverte avec la couette, mais ça ne passait pas, elle n'arrêtait pas de dire que ça allait, mais sa voix bêlait.

Je ne savais pas quoi faire, donc je suis allée chercher Julien. Il a demandé à Lily de veiller sur Noé, ou bien c'était le contraire, et il est venu. Il a dit qu'il fallait que maman pense à autre chose. Alors, il s'est mis à lui faire des devinettes.

— Comment appelle-t-on un lapin sourd ?

Maman ne répondait pas, il a insisté.

— Je sais pas, elle a répondu en grelottant.

— LAAAAAPPPIIIIIINNNN ! il a crié.

Elle n'a pas réagi. Il a enchaîné.

— Qu'est-ce qui fait toin-toin ?

— …

— Anna ? Qu'est-ce qui fait toin-toin ?

— J'en sais rien…

— Un tanard !

Le pire, c'est qu'il avait l'air vraiment fier.

— M. et Mme Core ont une fille, comment elle s'appelle ?

Maman a grogné. Elle n'était pas loin de mordre. Courageux, il a insisté.

— Alors ?

— Je me fous de la fille de M. et Mme Core !

— Ada ! Ada Core ! Une autre : M. et Mme Fonfek ont une fille, comment s'appelle-t-elle ?

— Julien, je suis fati…

— Sophie, elle s'appelle Sophie ! il a continué.

Je n'ai pas pu m'empêcher de glousser, mais maman n'était toujours pas vraiment avec nous. Alors j'ai tenté ma chance :

— Tu connais l'histoire du mec qui a cinq pénis ?

Le silence m'a répondu. Face à l'enthousiasme général, j'ai révélé la chute :

— Son slip lui va comme un gant.

Julien m'a regardée avec des yeux ronds. Maman a lentement tourné la tête vers moi. J'ai vu toutes les expressions défiler sur son visage, on aurait dit une machine à sous, quand on ne sait pas sur quelle figure ça va s'arrêter. Ça s'est arrêté sur un rire. Un petit ricanement, pas vraiment sûr de lui, mais qui voulait dire que l'angoisse pouvait céder sa place.

Une heure plus tard, maman dormait. Julien avait regagné son camping-car et Lily le nôtre. Moi, j'ai eu du mal à trouver le sommeil. Une pensée m'en empêchait. Pour la mettre dans cet état, ce que papa avait dit à maman devait être vraiment grave.

Lily

5 mai

Cher Marcel,

Ma mère est trop bizarre depuis son malaise de l'autre soir, elle ne mange presque plus, elle conduit sans parler, elle n'essaie même plus de lancer des conversations. Je crois qu'elle couve quelque chose, et c'est pas un œuf.

Elle a même pas voulu aller visiter Rovaniemi alors qu'elle n'arrêtait pas de nous casser les oreilles parce qu'elle avait hâte de découvrir la Finlande. Elle a dit qu'elle était fatiguée et elle est restée au camping-car, nous, on a dû se taper Françoise et François, je te dis pas.

Ils nous ont emmenées visiter le village du père Noël. Si, je te jure, ils ont fait un village du père Noël, vivement qu'ils fassent aussi un village de la petite souris, ou un village des cloches, tiens, y aurait du monde à mettre dedans ! Si encore on y était allées avec Marine et Greg, mais non, il a fallu qu'on tombe sur la famille Oui-Oui. Le petit Louis courait partout en poussant des cris, je me demande si c'est vraiment un humain, Louise s'extasiait comme si elle n'avait jamais rien vu, et les parents ont fait tellement de selfies que leur téléphone a préféré se suicider. Ah ça, il était bien embêté le François, on l'entendait plus. Quand son fils lui a dit que c'était mieux, comme ça il vivrait vraiment sans confort, j'ai cru qu'il allait le jeter aux rennes.

Chloé a eu l'air de passer un bon moment, sauf quand Louise venait lui parler, elle montrait les crocs. Je la comprends, l'autre elle est bloquée sur la position sourire, elle fait flipper, on dirait Barbie droguée.

Le seul truc chouette, c'est qu'il y avait une grande ligne blanche tracée au sol, pour dire qu'on passait le cercle arctique. On est vraiment loin de chez nous.

En rentrant, Françoise a voulu parler à ma mère, on n'a pas entendu, on est restées dehors, mais quand elle est sortie, elle a dit qu'on allait dîner avec eux, que ma mère se reposait encore un peu. On a mangé des pommes de terre bouillies, et c'est tout. Françoise et François veulent que leurs enfants perdent leurs habitudes d'enfants gâtés. Chloé trouve qu'ils sont extrêmes, moi, je trouve qu'ils sont extrêmement cinglés. Finalement, ma mère est pas si mal, même quand elle ronfle.

Ils ont proposé qu'on dorme dans leur camping-car, je ne sais pas ce qui m'a pris, j'ai raconté que j'étais somnambule et que la nuit je frappais les gens, ils ont dit une prochaine fois.

Quand on est rentrées, ma mère nous attendait. On lui a tout dit de notre journée en mangeant les bonbons qu'il restait de Stockholm et, quand on s'est couchées, elle nous a promis que demain elle serait plus en forme. J'espère que c'est vrai, sinon faudra qu'on mette les pendules sur les « i ».

Gros bisous Marcel
Lily
P-S : j'ai remarqué un truc trop bien : quand on ne cligne pas des yeux dans le froid, ils pleurent, j'adore.

Anna

Les phrases tournent dans ma tête. Dans l'ordre, dans le désordre, elles se croisent, se chevauchent, se bousculent, elles m'obsèdent, me consument.

« J'aurais pu laisser mon avocate te prévenir, je t'appelle par pure amitié. »

« La garde principale. Elles te verront un week-end sur deux et la moitié des vacances. »

« J'ai été tolérant, jusqu'ici. Imaginer mes filles seules, livrées à elles-mêmes pendant que tu travaillais, me crevait le cœur. »

« Tu n'as plus toute ta tête. Un road trip en Finlande… »

« Tu crois que le juge choisira qui, entre un père qui a des horaires de bureau et un salaire et une mère au chômage, endettée, qui déscolarise ses filles pour les emmener sur les routes ? »

« J'ai accepté de leur mentir, mais je reprends les choses en main. »

« Chloé m'a parlé de tes attaques de panique, tu les mets en danger. »

« Toi, tu ne m'as fait aucun cadeau, si tu avais été moins égoïste, elles auraient pu me voir beaucoup plus souvent. »

« Je ne fais pas ça pour te faire du mal, mais pour protéger mes filles. »

« Je pourrai enfin passer des moments seul avec mes filles. »

« Si tu me laisses revenir, tu les verras tous les jours. »

« Je demande la garde des filles. »

« Je demande la garde des filles. »

« Je demande la garde des filles. »

Je ne sais pas ce qui va se passer.
Je ne sais pas si je vais payer mes erreurs.
Tout ce que je sais, c'est que, s'il me les enlève, je crève.

Lily

9 mai

Cher Marcel,

Je ne peux pas t'écrire, j'ai trop froid aux doigts.

Bisous quand même.
Lily

Les chroniques de Chloé

J'ai appelé papa. Je voulais savoir ce qu'il avait dit à maman. Il n'a pas cherché à se défiler :

— Je veux que vous veniez vivre avec moi. Toi, tu es grande, tu feras ce que tu veux, mais Lily est encore petite, et ta mère ne peut plus vous assumer.

Je ne comprenais pas. Il avait toujours répété combien maman était fabuleuse, combien il était malheureux qu'elle ne veuille plus vivre avec lui. Il ne s'est jamais remis en couple, il prétend qu'aucune femme ne pourra la remplacer. C'était la première fois qu'il écornait son image.

— Comment ça, elle ne peut plus nous assumer ?

— Tu sais bien, elle avait déjà du mal à joindre les deux bouts, maintenant qu'elle ne travaille plus, ça va être impossible. Vous ne pouvez pas vivre dans la précarité comme ça.

— Mais elle va retrouver un travail ! Et puis toi non plus, tu ne travailles pas, tu ne peux même pas nous recevoir chez toi parce que c'est trop petit !

Il a lâché un long soupir.

— En fait, je travaille depuis quelque temps. J'ai une maison avec quatre chambres.

— Hein ? Depuis quand ?

— Je ne sais pas... Quelques mois... Deux ans peut-être.

J'ai reçu une décharge électrique dans le cœur.

— Deux ans ? Mais papa, je ne comprends pas, pourquoi tu ne nous l'as pas dit ? Pourquoi tu ne nous prenais pas, au moins pendant les vacances ?

— Ce n'est pas le propos, il a répondu d'une voix plus ferme. Là, on parle de ta mère. Il n'y a pas que l'argent, elle vous a retirées de l'école pour vous emmener faire du camping dans des pays qu'elle ne connaît même pas, c'est du délire ! Tu m'as dit toi-même qu'elle avait pété les plombs. Je n'ai même pas su quoi lui répondre.

Je n'ai même pas su quoi ressentir. À quoi bon lui expliquer que, quand je critiquais ma mère auprès de lui, c'était surtout pour le réconforter ? Je l'ai écouté énumérer ses arguments, étaler ses certitudes sur sa tartine de colère, et j'ai raccroché en lui souhaitant une bonne journée.

J'avais le téléphone, j'en ai profité pour faire quelques recherches.

Maman a eu l'air étonnée quand je lui ai annoncé qu'on allait faire un petit détour.

— C'est une surprise, je lui ai dit. Fais-moi confiance. Ah, et au fait, en parlant de confiance, je ne suis pas enceinte.

Elle a imité le smiley triste. Lily secouait la tête.

— C'est terrible, ma chérie ! Tu as perdu le bébé ?

— Non, je n'ai jamais été enceinte, c'était parce que j'avais envie de rentrer à la maison. Avec Lily, on cherchait un moyen de te faire faire demi-tour.

Ma sœur m'a traitée de fayote. Maman semblait réellement peinée :

— Oh, mais j'étais tellement heureuse de devenir mamie. Je suis vraiment, vraiment déçue… Et toi, tu dois être tellement triste. Tu es sûre qu'il n'y a pas une toute petite chance ?

J'ai failli répondre, mais j'ai perçu l'étincelle dans son regard. Elle a retenu son sourire, elle a compris que j'avais compris. Aucune de nous deux n'a rien dit.

Le détour nous a fait perdre deux heures. Sur la route, maman a demandé plusieurs fois si j'étais sûre de moi. L'adresse sur le GPS ne lui donnait aucun indice. La fonte des neiges n'avait pas encore atteint cette latitude, le paysage avait revêtu son manteau blanc.

Il était dix-sept heures quand on est arrivées. Il faisait − 1 °C. Les propriétaires étaient adorables, et pas seulement parce qu'ils comprenaient mon anglais francisé. Ils nous ont emmenées jusqu'à la cabane en bois, nous ont donné le nécessaire et dispensé les instructions. Maman et Lily ont mis beaucoup de temps à comprendre. Beaucoup, beaucoup de temps. Leur inconscient devait se cacher derrière une grosse dose de déni.

Et puis, maman a écarquillé les yeux.

Anna

— Tu penses vraiment que je vais me baigner dans un lac à moitié gelé ?

Ma voix part dans les aigus. Chloé éclate de rire. C'est plus grave que je ne le pensais.

Lily tente de s'échapper en douce pendant que Chloé discute avec les propriétaires. Sa grande sœur la rattrape par l'écharpe.

Vesa, la jeune femme, nous invite à la suivre dans la cabane. Un poêle à bois réchauffe la pièce, uniquement meublée d'une table, de deux bancs et de patères.

— Là-bas, c'est le sauna, nous indique-t-elle en désignant une porte vitrée au fond. Vous pouvez vous déshabiller !

Joignant le geste à la parole, elle retire son manteau, ses bottes, son pull… Elle est en sous-vêtements et bottes fourrées avant que nous n'ayons réagi.

— Alors ? demande-t-elle en souriant. N'ayez pas peur, c'est une expérience incroyable. Une fois que vous l'aurez fait, vous n'aurez qu'une envie : recommencer !

— Apparemment, le froid grille les neurones, grogne Lily. J'y vais pas.

— Allez, on va le faire ! lance Chloé en se dévê-tant à toute vitesse. Maman, Lily, venez, j'ai lu que c'était excellent pour la santé !

— Je préfère vivre moins longtemps en ayant chaud, décrète Lily.

— Le dégel a commencé, intervient Vesa. La tem-pérature de l'eau est à 4 °C, c'est tout à fait suppor-table.

Elle doit nous prendre pour des yaourts.

Chloé trépigne. Elle y tient vraiment. Je ne peux pas la décevoir, elle a organisé tout cela pour moi.

J'ôte mes habits un par un, lentement, en songeant qu'on devrait réfléchir à toutes les conséquences quand on fait des enfants.

— Lily ? interroge Chloé.

— Non, je vous attends ici, répond ma fille en enfonçant le menton dans son écharpe. J'aurais trop froid rien qu'en vous regardant.

Petri nous attend devant le chalet, en slip jaune. Si mes mâchoires n'étaient pas paralysées par le froid, je rirais.

Nous parcourons les quelques mètres qui nous séparent du lac au pas de course. Chloé claque des dents, je la soupçonne de regretter sa surprise. Nous arrivons sur un petit ponton au bout duquel une échelle plonge dans l'eau sombre. Petri nous explique la suite : on descend, on reste moins d'une minute, on sort, on court jusqu'à la cabane et on s'enferme dans le sauna. Si on est courageuses, on recommence.

— L'alternance chaud-froid est bénéfique pour l'organisme, explique-t-il en descendant l'échelle tranquillement. Allez, venez !

Il nage, maintenant. Ce fou. Il va se transformer en stalagmite, il fera moins le malin.

Vesa le rejoint en ronronnant de plaisir. Ces gens aiment le froid, je ne vois pas d'autre explication. Je suis sûre qu'ils font l'amour dans un congélateur.

Chloé retire ses bottes et avance vers l'échelle.

J'ai bien conscience qu'il va falloir que je bouge, que je me décide, j'essaie de me persuader que l'eau est moins froide que l'air, mais j'ai déjà du mal à me laver les mains quand ce n'est pas assez chaud, alors là…

— HAAAAAAAAAAAA ! HAAAAAAAAAAAA-AAAAAAAAA ! PUTAIN DE SA RACE !

Chloé est dans l'eau.

Je ne réfléchis plus, je m'élance et plonge un pied dans le lac.

Oh, merde.

Le second.

Putain de sa race, en effet.

Chloé me pousse pour remonter à l'échelle. Je me retrouve entièrement immergée. J'ai l'impression d'être attaquée par des milliers de lames, je ne sens plus mes jambes, mes bras s'engourdissent. Je suis en train de dire adieu à chaque parcelle de mon corps quand j'entends un hurlement se rapprocher de nous.

— BANZAAAAAAÏ !

En culotte et brassière, son écharpe autour du cou, Lily court sur le ponton, se bouche le nez et saute dans l'eau, les jambes regroupées contre son buste.

Son visage atterré émerge quelques secondes plus tard. Ses lèvres sont bleues.

— Je suis en train de mourir, aidez-moi ! supplie-t-elle, le regard givré.

Personne ne réagit. Elle se met à hurler :

— MAIS BOUGEZ, FAITES QUELQUE CHOSE, C'EST TROP FROID ! FAITES-MOI PIPI DESSUS !

Petri, qui a des limites en termes de convivialité, se contente de nous hisser sur le ponton et nous nous ruons vers la cabane, les propriétaires en marchant, mes filles et moi en trottant, jambes et bras raides. On ressemble aux petits joueurs sur les baby-foots. Le sauna nous accueille de sa chaleur enveloppante. Vesa et Petri rejoignent leur maison, nous restons toutes les trois.

Nous nous laissons tomber sur le banc de bois. J'appuie ma tête contre le mur et je ferme les yeux. Petit à petit, mon corps reprend vie, ma peau se réchauffe.

Je nous visualise, Lily, Chloé et moi, presque nues dans un sauna isolé au fin fond de la Laponie. Je vois notre appartement, ce chez-nous dans lequel nous ne faisons que nous croiser. Je repense à mes doutes, à ce départ improvisé, aux conséquences qu'il aura peut-être. Rien que pour cela, pour ce moment, pour l'excitation de Chloé lorsque j'ai compris sa surprise, pour la tête de Lily quand elle a sauté dans l'eau, pour ce silence complice, pour ce souvenir qui me donnera le sourire dans les moments les plus sombres, je ne regretterai jamais.

Les chroniques de Chloé

Pour la dernière soirée en Finlande, tradition oblige, on s'est tous réunis pour un dîner typique. On s'est entassés dans le plus grand camping-car, celui de Diego et Edgar, les assiettes posées sur nos genoux, pour déguster les plats achetés au marché d'Inari : saucisses grillées, soupe d'élan, fromage bizarre et autres spécialités dont je suis incapable de retenir le nom.

L'ambiance était joviale, jusqu'à ce que Marine saisisse le cadre photo.

— C'est vos femmes ? elle a demandé.

Edgar a raconté sa rencontre avec Rosa, Diego a enchaîné sur son mariage avec Madeleine, Marine a pleuré en accusant les hormones, François a essuyé ses yeux, maman a reniflé, Greg est sorti, Julien a raconté une blague, Louise s'est transformée en dégât des eaux.

En rentrant, j'ai regardé, comme trois fois par jour, si Kevin m'avait écrit. Toujours rien depuis sa demande de photo. Peut-être qu'il avait pris mon absence de réponse pour du désintérêt. Alors, je lui ai montré que ce n'en était pas.

« Bonsoir Kevin, j'espère que tu ne m'en veux pas pour la photo, je préfère qu'on discute un peu d'abord, tu veux bien ? Bises. Chloé »

La réponse est arrivée le lendemain matin, maman et Lily prenaient leur petit déjeuner, j'étais aux toilettes. Mon cœur a fait la danse de la joie quand j'ai vu la notification.

« Slt, ta ka demander a ta mère. »

Mon cœur a eu une crampe.

— Maman, tu as parlé à Kevin ? j'ai interrogé en sortant de la salle de bains.

Lily a demandé qui était Kevin. Maman a rougi. Elle a envoyé ma sœur dire bonjour à Noé et elle m'a raconté. J'étais tellement choquée que je n'ai pas pu répondre, même pas pleurer. Je me suis levée, je n'arrivais pas à regarder maman, elle me parlait, mais je ne l'écoutais plus. La rage brouillait mes sens. J'ai ouvert la porte et, au moment de sortir, je me suis retournée :

— J'espère que papa réussira à avoir notre garde.

Dehors, le froid me giflait. Je suis allée m'asseoir sur un banc au bord du lac qui jouxtait l'aire de camping-car. La colère contre maman rivalisait avec la colère d'avoir été si méchante avec elle. À l'instant où mes larmes commençaient à couler, Louise s'est posée à mes côtés.

— Qu'est-ce que tu veux ? j'ai demandé en essuyant mes joues du dos de la main.

— Je t'ai vue toute seule et ça m'a fait de la peine.

— J'ai pas besoin de ta pitié, laisse-moi tranquille.

Elle n'a pas bougé. Je me suis tournée vers elle.

— Fous-moi la paix ! j'ai crié. Tu vois pas que je ne t'aime pas ?

C'était la première fois que je la voyais d'aussi près. Ses yeux étaient gris comme le ciel, tristes comme lui aussi.

— Si, je le vois bien, elle a murmuré. Qu'est-ce que je t'ai fait ?

— C'est pas le moment, là. Laisse-moi, j'ai pas envie d'être méchante.

Elle s'est levée, a commencé à s'éloigner, puis a fait demi-tour et s'est plantée devant moi.

— T'es jalouse, en fait.

— Pardon ?

— T'es jalouse, c'est pour ça que tu ne m'aimes pas. Je me suis levée à mon tour, nos visages étaient à quelques centimètres l'un de l'autre. Comme un paratonnerre, Louise attirait vers elle toute ma colère. J'ai éclaté de rire, pour ne pas éclater tout court.

— Et de quoi je serais jalouse, hein ? De ta vie de petite fifille parfaite qui ne sait tellement pas quoi faire de son fric qu'elle est obligée de faire semblant d'être pauvre ? Arrête, c'est ridicule…

— Moins ridicule que de porter un faux Vanessa Bruno.

J'avais envie d'arracher son petit rictus supérieur, de faire disparaître son regard hautain, ses gestes prétentieux. J'avais envie d'assouvir cette violence qui bouillait dans mes veines. Cette violence qui me submergeait souvent, ces derniers temps.

— Dégage, j'ai grogné entre mes dents.

— Sinon tu vas faire quoi, pétasse ?

J'ai inspiré longuement, j'ai contourné Louise et je me suis éloignée en essayant d'ignorer ses gloussements. J'ai marché un moment, le bruit de mes pas dans la neige dissipait ma colère et révélait un autre sentiment, comme une couche qu'on gratte pour faire apparaître ce qu'elle protège. Une infinie mélancolie m'a envahie. Elle me tordait le ventre, elle me piquait la gorge.

C'est douloureux, ce passage entre l'enfance et l'adolescence, quand les illusions volent en éclats et que les rêves se fracassent contre la réalité. Je regrette cette candeur confortable, ce monde épargné où les bobos s'envolent en un dodo. Je regrette cette vie où je ne savais pas, cette bulle de douceur dont papa et maman étaient les remparts. J'avance vers la majorité en semant de petits cailloux d'innocence. Je ne veux pas tous les perdre. Je ne veux plus grandir.

Lily

15 mai

Cher Marcel,

J'espère que tu vas bien, moi, ça va pas du tout du tout, et pas juste parce que j'ai un rhume. On est arrivés en Norvège et, comme son nom l'indique, il fait froid. Je fais attention quand j'éternue, j'ai peur d'expulser un iceberg.

Mais ça, c'est rien par rapport à l'horrible horreur qui est arrivée. Je suis même pas sûre de réussir à te raconter.

Ce matin, avant de reprendre la route, j'étais avec Noé dans son camping-car. On jouait avec sa toupie, maintenant il veut bien me la prêter, mais j'arrive toujours pas à la faire tourner aussi longtemps que lui, alors je lui fais croire que je le laisse gagner.

Ça a tapé à la porte. Julien a ouvert, c'étaient des hommes avec des uniformes, il nous a expliqué que c'était la douane, qu'ils allaient fouiller les camping-cars. J'ai demandé si c'était normal, je ne comprenais pas trop qu'ils viennent, comme ça, sans prévenir, à brûle-parpaing, mais apparemment c'est fréquent, c'est pour voir si on ne fait pas du trafic de drogue ou de fromage.

J'ai tout de suite pensé à Mathias, ma mère m'avait dit qu'il valait mieux qu'on ne soit pas contrôlées, du coup j'ai couru le chercher, mais c'était trop tard, ils étaient déjà dans le camping-car. J'étais au fond du rouleau. Ma mère est sortie, elle faisait une drôle de tête, elle est venue vers moi en se tortillant, on aurait dit qu'elle avait envie de faire pipi, mais en fait elle avait caché Mathias sous son pull. Je l'ai récupéré avant qu'elle se mette à claquer des dents. Il était content, il s'est mis dans mon cou.

Les hommes de la douane sont descendus du camping-car en disant que c'était OK, apparemment ils n'ont pas vu la cage, ou alors ils ont cru que c'était pour faire joli.

Pendant qu'ils étaient chez les papys (qui étaient hyper affolés), Marine est arrivée avec pertes et tracas, elle avait un ventre énorme, j'ai cru que son bébé était précoce et qu'il avait sauté des mois de grossesse, mais, en fait, c'était parce qu'elle cachait Jean-Léon sous son poncho. Elle nous a demandé si on pouvait le garder chez nous le temps de la fouille, parce qu'il lui manquait un vaccin qu'ils n'avaient pas eu le temps de faire, ou un truc comme ça. Évidemment, on a accepté, il était hors de question que ce chien aille en prison.

Le problème, c'est qu'il a reniflé Mathias et qu'il s'est mis à aboyer. Pour le calmer, j'ai réessayé de le lui présenter, sauf que, cette fois, Jean-Léon n'a pas retroussé les babines avant d'attaquer.

Mon petit Mathias est mort sur le coup.

Je lui ai fait un massage cardiaque et du bouche-à-bouche, mais il ne s'est pas réveillé. J'avais mal au ventre et à la gorge en même temps, je voulais lui dire que je l'aimais beaucoup, beaucoup, mais je n'arrivais pas à parler. J'espère qu'il le savait.

Je ne l'ai pas enterré, je l'ai couché dans un tupperware et je le libérerai demain au cap Nord, en même temps que les cendres de mon arrière-grand-père.

Chloé et ma mère ont été gentilles toute la journée avec moi, même si elles font bien attention à ne pas se parler. Je sais pas pourquoi elles se font la tête, apparemment c'est à cause d'un Kevin.

Je vais te laisser, mon Marcel, parce que j'ai plus trop le cœur à écrire. Tu sais, ça fait deux fois que quelqu'un qui s'appelle Mathias m'abandonne.

Bisous
Lily

Anna

Le cap Nord.

Il y a deux mois, mon univers était composé de mon appartement, d'un restaurant qui usait mon moral et de la route qui reliait les deux. Le cap Nord n'était alors qu'un nom vaguement entendu dans la bouche de ma grand-mère, lorsqu'elle narrait ses voyages passés.

Aujourd'hui, je suis au point le plus au nord d'Europe, après avoir traversé le continent en camping-car avec mes filles. Plus de quatre mille kilomètres nous séparent de notre quotidien.

Je coupe le contact. Il est vingt-deux heures et nous sommes en plein jour. Un silence immaculé nous a accompagnées tout le trajet. Lily est en deuil, Chloé fait la gueule.

— Les filles, on fait un effort pour ce moment important ?

Des grognements sans enthousiasme accueillent ma proposition. Mémé devait imaginer une autre atmosphère pour le dernier voyage de pépé. Je m'empare de l'urne et la cache sous ma doudoune.

— Je ne suis pas sûre que la dispersion de cendres soit autorisée, on va essayer d'être discrètes !

Mes mots se heurtent à leur détachement. Chloé ajuste ses gants, Lily caresse sa petite boîte en plastique. Nous quittons le camping-car, direction notre premier soleil de minuit.

La vue depuis le haut de la falaise est étourdissante. À plus de 300 mètres sous nos pieds, l'océan Arctique s'étale à l'infini. La roche, saupoudrée de neige, contraste avec le bleu délavé du ciel. Le soleil a entamé sa chute. Nous nous plaçons derrière la barrière de sécurité pour attendre minuit.

Lily a l'air de ne pas remarquer le spectacle. Chloé fournit des efforts visibles pour ne pas s'extasier.

Je fais plusieurs tentatives pour engager la conversation, en vain. Les ambiances tendues sont plus supportables dans un appartement gris.

À 23 h 55, les dizaines de personnes présentes se taisent.

À minuit, face au soleil qui se reflète dans la mer au lieu de disparaître sous l'horizon, tout le monde applaudit et des bouchons de champagne sautent. Les émotions fortes ont ce pouvoir d'unir ceux qui les partagent. Je me sens proche de ceux qui m'entourent, ce soir, nous nous ressemblons tous un peu. Je lance un coup d'œil à mes filles, sourires béats, yeux étincelants, elles ont de nouveau trois ans.

Nous attendons que la foule se disperse.

— Lily, tu veux qu'on commence par Mathias ?

Elle secoue la tête. Son menton tremble.

— C'est bon, c'est déjà fait.

— Ah bon ? Mais quand ?

— Quand les gens ont applaudi, je me suis dit que c'était le meilleur moment. Il s'est envolé comme une star.

Chloé lui caresse la joue, avant de ranger subitement la main dans sa poche, comme si ce geste n'avait pas eu lieu.

— Bon, alors on va faire ce que mémé nous a demandé, dis-je. Chloé, tu filmes ?

Je retire mes gants et j'extirpe l'urne de ma doudoune. Je regarde autour, personne ne semble faire attention à nous. Au loin, je repère Françoise, François, Louise et Louis, qui regagnent le parking.

J'enlève le couvercle. L'émotion me gagne, je sais combien cela compte pour mémé. Je me souviens peu de mon grand-père, j'avais six ans lorsqu'il est décédé. Une balade dans les bois, il m'apprend à soulever les feuilles mortes avec le bâton pour trouver les cèpes. Sa grosse voix qui tousse. Une tranche de pain sur laquelle il frotte une gousse d'ail. C'est tout.

Je tends le bras aussi loin que possible et renverse l'urne pour laisser les cendres s'envoler vers le Grand Nord.

Au revoir, pépé.

— C'est quoi, ça ?! s'écrie Chloé.

Je fixe les grains dorés qui s'envolent vers le Grand Nord. Ce ne sont pas des cendres. C'est du sable.

Je regarde à l'intérieur de l'urne, une enveloppe est scotchée contre la paroi. Dedans, une feuille blanche pliée en quatre, noircie de mots. Je reconnais immédiatement l'écriture de ma grand-mère. Chloé et Lily se collent contre moi, nous lisons ensemble.

« *Ma Nana,*

J'imagine ta tête et je ris toute seule. Tu sais à quel point je t'aime, tu comprendras donc que ma manœuvre n'avait qu'un seul but : t'aider.

Depuis des années, je te vois te battre contre la vie. Tu te défends comme une lionne, mais elle ne t'épargne pas. Tous les coups sont permis. J'assiste à ce match, je suis là pour te réinsuffler des forces, pour te remotiver, mais je me sens bien impuissante.

La perte de ton emploi est une chance. L'occasion d'entamer un nouveau round. Quand tu m'as confié ton envie de partir, tes doutes, j'ai eu peur que tu n'ailles pas jusqu'au bout, que tu fasses demi-tour. Il me fallait te fournir une bonne motivation. Je savais que, pour moi, tu le ferais.

La vie est devenue ton adversaire, fais-en ton alliée.

Tu me confies souvent que seules tes filles comptent, que tu souffres de les voir si peu, que, si tu pouvais recommencer, tu ferais tout différemment. Tu ne peux pas recommencer, mais tu peux choisir un autre chemin.

Tu le sais, je suis plus proche de la fin que du début, je peux presque voir la ligne d'arrivée. Mes jambes ne fonctionnent plus, le reste n'est pas en grande forme, tout ce qui me reste, ce sont mes souvenirs. Il m'arrive parfois de repenser à mes voyages, à mes lectures, aux films que j'ai appréciés, mais ceux qui ne quittent jamais mon esprit sont ta mère, ton grand-père, toi, Chloé, Lily, mes parents, ma grand-mère... Tout finit par passer, ma Nana. Les colères, les déceptions, les tracas, les joies, la fatigue. Tout ce qui reste jusqu'au dernier moment, qu'elles soient encore de ce monde ou non, ce sont les personnes que l'on aime.

Je ne t'ai pas totalement menti. Le cap Nord est un lieu important. Pendant l'été 1957, ton grand-père – dont les cendres sont toujours dans ma chambre – et moi avons visité la Norvège. Le soleil de minuit fut notre plus merveilleux souvenir, nous l'avons admiré jusqu'au petit matin. Ta mère a été conçue le jour suivant, j'ai toujours pensé que c'est la raison pour laquelle elle était si lumineuse. Au moment où tu lis ces mots, quatre générations de notre famille sont réunies au cap Nord. Elle serait tellement fière de toi.

Je ne veux pas te faire la morale, j'ai les bien-pensants en horreur. Je souhaite juste éclairer ton chemin, te montrer la voie avant de partir.

J'espère que ce voyage vous permettra de vous aimer encore plus fort. Je sais à quel point le lien entre une mère et une fille est immortel.

Je t'aime, ma Nana. Ne m'en veux pas.

Mémé »

Je replie la feuille et la range dans l'enveloppe avant que mes larmes ne diluent les mots. Le soleil est toujours suspendu au-dessus de l'horizon, nous l'observons encore quelques minutes, en silence.

J'imagine ma mère à mes côtés, sa main sur mon épaule. Cela ne me fait plus mal. Je ne saurais dire depuis quand son souvenir m'apaise. La douleur s'en est allée sur la pointe des pieds. On s'habitue telle-ment à sa présence qu'on ne la remarque plus, elle devient partie intégrante de nous. Et puis, un jour, on se rend compte qu'elle a disparu, cédant sa place à quelques cicatrices et à tous les bons souvenirs. Les moments où je pense à ma mère sont presque devenus supportables, puisqu'ils la font vivre encore un peu.

— On y va ? finis-je par proposer aux filles.

Elles hochent la tête. Nous regagnons le camping-car d'un pas traînant. Le silence est moins opaque qu'à l'aller. Je n'ose le rompre, je ne sais pas si elles sont prêtes.

Mémé a raison : sans elle, je ne serais pas partie. Sans elle, j'aurais sans doute retrouvé un emploi, j'aurais payé mes dettes, il me resterait même un peu d'argent, nous mangerions autre chose que des conserves cuisinées sur des plaques électriques, nous dormirions sur des matelas confortables, les filles auraient de vrais profs, il ferait vingt degrés de plus, je ne risquerais pas de perdre leur garde, nous aurions évité plusieurs disputes. Mais. Nous nous croiserions quelques minutes chaque jour, je ne saurais pas à quel point Chloé est sensible, à quel point elle me ressemble, j'ignorerais que Lily est pleine d'humour et de générosité, je n'aurais pas partagé des fous rires, des discussions, des nuits, des découvertes, des frayeurs avec elles. Je n'aurais pas fabriqué tous ces souvenirs inoubliables avec mes filles.

Ce n'est pas son avis que mémé me donne, c'est un cadeau.

Je referme la porte du camping-car pour ne pas laisser échapper la chaleur. Les filles se déshabillent à la hâte et se glissent dans leur lit. Je me couche sur ma banquette et tire la couette sur mon visage pour ne pas être gênée par la lumière du soleil et pour étouffer mes sanglots.

À peine quelques minutes se sont écoulées lorsque je sens un petit corps chaud se glisser à mes côtés. Puis un second. Je soulève ma couette, Chloé et Lily me rejoignent dans mon refuge et se collent contre moi.

Merci, mémé.

Les chroniques de Chloé

Les montagnes se dressaient entre les lacs, le vert et le blanc rivalisaient pour la première place, la mer n'était jamais loin, on se serait crues dans un fond d'écran d'ordinateur. On roulait depuis plus d'une heure quand maman a voulu discuter. Lily s'était endormie à l'arrière.

— Tu sais, tu n'es pas obligée de faire tout ce que les garçons te demandent.

J'aurais préféré parler du paysage, mais elle a poursuivi.

— Tu es amoureuse de ce Kevin ?

— Je crois.

— Qu'est-ce qui te fait penser ça ?

J'ai réfléchi quelques secondes.

— Parce que, quand il ne répond pas à mes messages, je suis triste.

— Et c'est tout ?

Elle avait la voix aussi douce que celle du serpent du *Livre de la jungle*, je la soupçonnais de vouloir m'amadouer. Mais je me suis laissé faire.

— Non, il est gentil avec moi, il me dit que je suis belle, que je suis attirante, il est tendre…

— D'accord. Et tu trouves normal qu'il t'envoie des photos de son sexe et qu'il te demande de lui montrer tes seins ?

J'ai haussé les épaules.

— Je sais pas, je ne me suis pas posé la question.

— Tu en avais envie ?

— Non, pas vraiment. Mais j'ai peur que…

Je me suis interrompue, elle a insisté.

— Tu as peur de quoi ?

— J'ai peur qu'il soit moins gentil si je refuse. J'ai peur qu'il ne m'aime pas.

Là, elle m'a fait un long discours sur ce que je dois accepter ou non, sur la façon d'entamer une relation, sur les garçons qui sont tous différents, sur l'amour qui ne dépend pas de photos explicites, sur la tendresse qui ne détermine pas l'amour. Je hochais la tête, mais je me figurais qu'elle ne comprenait pas.

Je n'aime pas montrer mes seins, je n'aime pas donner mon corps. Ce que j'aime, c'est recevoir des compliments, des caresses, des promesses. Ce que j'aime, c'est être aimée. Que quelqu'un pense à moi. Être importante.

Quand je montre mes seins, quand je donne mon corps, ils me donnent de l'amour. Quand je ne donne rien, ils ne donnent rien. Ce n'est pas plus compliqué que ça.

J'aimerais croire maman quand elle affirme que l'amour ne s'obtient pas de cette manière, que la séduction ne passe pas forcément par le sexe, que les garçons peuvent attendre autre chose de moi, j'aimerais vraiment, mais comment croire quelqu'un qui n'a connu qu'un seul homme ?

— Tu me promets que tu feras attention, la prochaine fois ? elle a demandé.

Je n'ai pas promis, j'ai juste hoché la tête en croisant les doigts discrètement. Je veux bien essayer, mais je sais déjà comment ça se passera, la prochaine fois. Il essaiera, je résisterai, il sera déçu, j'aurai peur de le perdre, j'accepterai.

On est arrivées sur le parking du Parc national de Stabbursdalen en début d'après-midi. Il faisait froid, il faisait gris, mais Julien avait convaincu une partie du groupe que le moyen le plus sûr pour s'imprégner de l'atmosphère de la Norvège était d'effectuer une petite marche vivifiante dans la forêt de pins. Un spectacle à couper le souffle était censé nous attendre au bout.

Après deux heures de marche au milieu des conifères, des plaques de neige, des exclamations de Louise, des pauses photo de François et des jérémiades de maman, on a atteint la surprise promise. Un lac dans lequel se jetait une cascade qui n'avait rien à envier à celles qu'on croisait tous les jours sur la route. La déception s'est entendue dans nos silences.

On a cassé la croûte au bord de l'eau, puis on a entrepris d'effectuer le chemin inverse sans grande motivation. Maman, qui n'avait apparemment pas envisagé que le retour puisse être aussi long que l'aller, n'était pas loin de nous proposer de revenir la chercher en hélicoptère. Françoise l'a coupée de court en décrétant qu'elle devait faire une petite pause pour se « repoudrer le nez ». Tandis qu'on l'attendait sur le chemin, elle s'est enfoncée dans la forêt en sifflotant. Elle en est ressortie trois minutes plus tard en hurlant et en courant à toute vitesse, les bras en l'air, le visage déformé par la peur. Elle trébuchait, se relevait, s'agrippait aux arbres pour accélérer, sautait les racines. Quand elle est arrivée à notre hauteur, on l'a vu. Il évoluait quelques mètres derrière elle, immense, majestueux, suivi de ses deux petits. Un élan en colère.

— Aidez-moi, elle a articulé.

Julien lui a attrapé la main et l'a tirée vers le groupe. Louise et Louis l'ont prise dans leurs bras en pleurant. François a réglé son zoom sur l'animal.

Julien a chuchoté :

— C'est bizarre. Normalement, les élans ne sont pas agressifs, elle a dû se sentir en danger avec ses petits. On va battre en retraite, ça devrait les rassurer.

On a reculé de quelques pas, tout doucement, mais ça n'a pas suffi à calmer la mère de famille. Elle s'est approchée de nous, la tête baissée, prête à charger. Maman nous a serrées contre elle. C'est là que la dignité de Julien a rendu son tablier.

Il a fait un pas vers la bête, les bras en garde devant son visage, et il a crié :

— Fais gaffe, je suis ceinture bleue de ju-jitsu !

L'élan le regardait d'en bas. Il a encore avancé. Julien a alors poussé un hurlement guttural visant manifestement à l'effrayer. Je pense qu'il n'a effrayé que ses cordes vocales. Derrière moi, j'ai entendu un rire étouffé. Je me suis mordu les joues pour me retenir.

Voyant que l'intimidation ne fonctionnait pas, notre héros a tenté de communiquer avec l'animal :

— Ne t'inquiète pas, on ne te veut pas de mal.

L'élan, qui ne parlait apparemment pas le français, a encore progressé. Il ne se trouvait plus qu'à trois ou quatre mètres de Julien, qui en a conclu que c'était le moment de lancer sa botte secrète.

Comme au ralenti, on l'a vu jeter sa jambe droite en l'air tout en pivotant sur sa jambe gauche – j'ai su plus tard que ça s'appelait un coup de pied circulaire. Un cri a retenti, et ce n'était pas celui de l'élan. Julien a reposé sa jambe, l'air de rien, comme si on n'avait pas tous remarqué qu'il venait de se claquer un muscle.

L'élan, sans doute pris de pitié, a piétiné encore quelques secondes, puis a rejoint ses petits sur le bord du chemin. Julien a levé le menton et lui a lancé – mais pas trop fort :

— C'est ça, t'as raison d'avoir peur !

Puis il s'est retourné, un sourire mi-héroïque, mi-douloureux aux lèvres, il nous a rejoints en boitant et nous a engagés à reprendre notre marche. Ce qu'on a fait. On ne désobéit pas à Chuck Norris.

Lily

19 mai

Cher Marcel,

C'est moi (Lily). J'espère que tu vas bien, malgré le mauvais temps. On est arrivés à Alta, c'est très joli, mais je suis sûre que ce serait mieux sans ce brouillard, on dirait que quelqu'un prend une douche brûlante. On a garé les camping-cars au bord de l'Altafjord, qui est un fjord comme son nom l'indique, et un fjord, c'est une vallée inondée comme son nom ne l'indique pas (moi, je croyais que c'était un yaourt).

Comme il y avait de l'eau et qu'il ne leur en faut pas plus, Françoise et François ont sorti les cannes à pêche. Ils étaient tout contents à l'idée de tuer des poissons, t'aurais vu ça, surtout leur fille, elle arrêtait pas de glousser, on aurait dit qu'elle avait trouvé le vaccin contre les rageux. Tu sais, Marcel, elle est vraiment bête. Si on colle notre oreille contre sa tête, je suis sûre qu'on entend la mer.

Bref, ils se sont installés, je ne me suis pas trop inquiétée, ils ont plus des tronches à pêcher des poissons panés chez Picard. Mais, au bout de dix minutes, Louis a poussé un cri de joie. Sa mère avait attrapé un poisson. Le pauvre, il se débattait de toutes ses écailles, et la famille Oui-Oui trouvait ça marrant. Quand ils ont voulu recommencer, j'ai décidé dans le dedans de moi-même que je n'étais pas d'accord.

J'ai ramassé des cailloux, je me suis assise à côté d'eux et j'en ai jeté un dans l'eau, pile à l'endroit où le bouchon flottait. François a rigolé, il croyait que je faisais ça pour m'amuser, alors j'en ai lancé un deuxième. Il m'a demandé d'arrêter, j'ai répondu que je m'entraînais à faire des ricochets, sa nunuche de fille a précisé qu'il fallait des cailloux plats, du coup j'en ai lancé un troisième. Au bout d'un moment, ils en ont eu marre, François fronçait tellement les sourcils qu'il allait avoir une crampe au front et ils sont partis plus loin. J'ai attendu qu'ils aient tout installé, je suis allée m'asseoir à côté d'eux et j'ai recommencé. Ils n'étaient vraiment pas contents, mais je m'en fiche. Je préfère être aimée par les poissons que par eux.

Au bout de cinq minutes, Louise s'est mise à me crier dessus, son sourire mielleux avait complètement disparu. Je savais bien qu'elle avait un double visage, il faut se méfier de la cruche qui dort.

Derrière moi, j'ai entendu la voix de ma sœur, et elle n'avait pas l'air de venir faire des câlins. Elle a conseillé à Louise d'arrêter de me parler comme ça, Louise a demandé « sinon quoi ? », Chloé a répondu « sinon tu sentiras le vent entre tes dents ». Elle allait rétorquer, mais sa mère lui a dit de se calmer, qu'il ne fallait pas entrer dans le jeu de gamines mal élevées.

Je te jure que je n'ai pas fait exprès, Marcel. Je te jure que mes bras m'ont désobéi, que je n'ai rien pu faire pour les empêcher de pousser miss Nunuche dans l'eau. Elle a crié (apparemment, c'était froid) et, pendant que ses parents la tiraient sur la terre ferme, avec ma sœur on s'est enfermées dans le camping-car.

Ma mère n'était vraiment pas contente, surtout que Françoise en a rajouté des tonnes. Alors, pour nous faire pardonner, elle est allée acheter du poisson et elle nous a obligées à leur préparer le dîner, histoire de remplacer celui qu'ils n'ont pas pu pêcher. Ma sœur a commencé à les écailler et à les vider, mais je lui ai dit de s'occuper du riz plutôt et j'ai vidé ces pauvres petits poissons en leur demandant pardon. J'espère que Chloé a compris que c'était pour la remercier, parce que c'était dur.

Allez, je te laisse sinon tu vas sentir le poisson.

Bisous
Lily
P-S : tu sais comment on dit McDonald's en norvégien ? McDonald's ! C'est fou, non ?

Anna

Chloé s'assoit à mes côtés, le téléphone à la main.

— C'était papa, m'apprend-elle. Il voulait te parler, je lui ai dit que t'étais occupée.

Je hoche la tête. Je sais qu'elle sait, mais nous n'en avons jamais discuté. Dans son regard, je devine que c'est le moment d'aborder le sujet :

— Tu en penses quoi, toi ?

— Elle en pense quoi de quoi ? s'enquiert Lily en entrant dans le camping-car.

J'interroge sa sœur du regard, elle hoche la tête. Je fais signe à Lily de s'asseoir avec nous et je lui révèle la requête de son père.

— Je veux pas vivre avec lui ! s'écrie-t-elle. Je le connais pas, j'ai rien à lui dire !

— Je ne comprends pas pourquoi t'es aussi dure avec lui, intervient Chloé.

— J'ai pas besoin d'avoir une raison, rétorque Lily.

— Mais quand même, c'est ton père, il t'a rien fait ! Il est triste, il pense que tu ne l'aimes pas.

— Il a raison, je l'aime pas.

— T'es vraiment…

Je coupe Chloé avant qu'elle n'aille trop loin.

— Chut, on se calme ! Lily, ta sœur a raison : c'est ton père, il faut que tu sois plus gentille avec lui. Pas la peine de faire la grimace, je n'accepterai pas de t'entendre parler de lui comme ça.

— Ben t'as qu'à retourner avec lui s'il est si gentil ! lâche-t-elle.

Lily n'avait que cinq ans lorsque nous nous sommes séparés. Elle a vécu plus longtemps sans père qu'avec, elle ne doit avoir de lui que de vagues souvenirs et ce ne sont pas les rares séjours chez sa grand-mère paternelle qui ont pu la faire changer d'avis. Mais je refuse qu'elle se construise avec l'image d'un père qui ne tient pas à elle. Éloigné géographiquement, occupé, pas terriblement investi, pas sympa, si elle veut. Mais pas sans sentiments pour ses filles. On grandit mal avec une carence d'amour.

— Lily, écoute-moi. Votre père vous aime, je suis sûre que si tu le connaissais mieux, tu l'aimerais aussi.

— Alors tu vas le laisser faire ? s'insurge-t-elle.

— Pas du tout, ne t'inquiète pas. Je compte vous garder avec moi, ne…

— Moi, je voudrais bien le voir plus souvent, murmure Chloé, les yeux embués.

— Je sais, ma puce, on va voir comment on peut s'arranger.

Les larmes dégringolent sur ses joues.

— Mais ça fait deux ans qu'il a une maison ! hoquette-t-elle. Je ne comprends pas pourquoi il nous l'a caché. Ça veut dire qu'il pouvait nous prendre, qu'on n'était pas obligées d'aller chez mamie, mais il ne l'a pas fait !

— Tu vois, j'ai raison, assène Lily. Il veut pas nous voir.

— Je suis sûre que c'est plus compliqué que ça, renifle Chloé. Je me souviens quand on était petites, il s'occupait beaucoup de nous, même maintenant au téléphone, il me demande toujours comment je vais. Je sais qu'il nous aime, il doit avoir de bonnes raisons.

Lily hausse les épaules. Chloé se mouche.

— Il me manque, soupire-t-elle.

Je soupire, tiraillée entre ma grande qui veut voir son père davantage, ma petite qui veut le voir encore moins, et moi.

— Votre père et moi allons trouver une solution, dis-je pour conclure. Ne vous inquiétez pas, on est des adultes responsables, on va gérer.

J'attends que les filles s'éloignent pour ouvrir les messages sur le téléphone et, en adulte responsable que je suis, pianoter un message adressé à leur père.

« Tu n'auras jamais leur garde, je ne te laisserai pas faire. »

Anna

Les filles se sont endormies rapidement. La visite de Tromsø a eu raison de leur endurance. La mienne fait du zèle, je tourne et vire sur la banquette, j'essaie de faire le vide, de me concentrer sur ma respiration, mais les pensées se sont incrustées et comptent manifestement passer la nuit chez moi.

Je me lève doucement, j'enfile mon manteau et mes bottes par-dessus mon pyjama et je sors prendre l'air. Il est près de minuit et une lumière dorée inonde le paysage. De nombreux camping-cars passent la nuit ici, je fais quelques pas en admirant au loin les montagnes enneigées. On m'avait dit que la Scandinavie était dépaysante, je n'imaginais pas à quel point. L'architecture, la végétation, les reliefs, l'alphabet, le climat, les routes, la nourriture, la culture, tout est différent, le plus étonnant étant ce soleil qui luit vingt-quatre heures en été et qui s'efface complètement en hiver pour laisser place à la pénombre. Ici, c'est rude, c'est entier, c'est sans demi-mesures.

Nous avons effectué plus de la moitié du voyage. Dans un mois, nous serons de retour en France.

Chaque nouvelle étape nous rapproche de notre vie et je n'ai qu'une envie : faire demi-tour. Retourner tout en haut, le plus loin possible de ma boîte aux lettres qui doit déborder, le plus loin possible de ma banquière, des huissiers, de la paperasse, des ennuis. Le plus loin possible de ce quotidien où chaque euro est compté, où le réfrigérateur résonne et où les loisirs sont trop chers. Le plus loin possible de Mathias. Je voudrais rester dans la parenthèse.

Un aboiement m'extirpe de mes pensées. Jean-Léon court vers moi, le poil hérissé. Je me baisse pour le rassurer, il me fait la fête.

— Tu dors pas ? me demande Greg en me rejoignant.

— Non, je n'y arrivais pas. Toi non plus ?

— Jean-Léon avait besoin de sortir. Viens dans notre camping-car, on joue au tarot avec Julien !

Je n'hésite pas longtemps, incapable que je suis de résister à une soirée entre adultes, sans ados à l'horizon.

Marine est ravie, le tarot, c'est mieux à quatre, m'explique-t-elle en me préparant une tisane.

— Je t'aurais bien servi un verre de vin, mais ça me tenterait trop. Déjà que j'ai arrêté de fumer d'un coup, faut pas jouer avec mes nerfs... J'espère que le bébé s'en souviendra et qu'il sortira sans faire de casse. T'as eu mal, toi, pour tes accouchements ?

Je visualise la scène, mes cris de douleur, mon envie de dire aux sages-femmes « Laissez-moi mourir ici, je vous ralentis », je m'apprête à répondre en édulcorant un peu mon témoignage, mais sans mentir, quand je croise le regard implorant de Greg.

— Je n'ai rien senti. Absolument rien, pour les deux accouchements. Quand j'ai entendu les cris de mes filles, j'étais étonnée qu'elles soient déjà sorties.

Je constate à la mine de Marine qu'elle est soulagée et à celle de Greg que j'en ai fait un peu trop. Julien est hilare.

— Pourquoi tu ris ? s'inquiète Marine. La naissance de Noé a été un carnage, c'est ça ?

Il se reprend et enfile un air extrêmement sérieux.

— Absolument pas, ça a été très rapide.

— Ah, vous me rassurez ! souffle Marine.

— Il a été éjecté comme un boulet de canon, poursuit Julien, il a failli percuter l'obstétricien et il a atterri dans le sac à main d'une sage-femme.

Marine le fixe sans comprendre. Greg, écarlate, se retient de rire.

— Vous vous foutez de ma gueule ? finit-elle par articuler.

Nous nions en chœur, elle consent à nous croire. Tout plutôt que la vérité.

Entre deux parties de tarot, Julien part vérifier que Noé dort profondément et je jette un œil aux filles. Lily ronfle, il faudra que je l'enregistre.

— Ça fait du bien, une soirée sans enfants ! chuchote Julien dans mon dos.

Je sursaute, je ne l'ai pas entendu approcher. Je referme délicatement la porte du camping-car et me retourne.

— Oh oui, ça faisait longtemps !

— Tu fais encore une partie ou tu vas te coucher ?

— Tu crois sérieusement que je vais abandonner sur une défaite ?

Il sourit.

Nous regagnons le véhicule des futurs parents. Julien m'aide à monter. Il n'en faut pas plus à Marine :

— Vous savez que vous iriez bien ensemble ?

Instant de gêne extrême. Je lève les yeux au ciel, Julien toussote.

— Marine, arrête, tu les embarrasses, la reprend Greg en battant les cartes. Bon, on la fait, cette partie ?

— Ben quoi ? s'étonne-t-elle. Je trouve qu'ils sont bien assortis, y a rien de mal ! Quand je trouve des chaussures assorties à une ceinture, je le dis et ça ne choque personne à ce que je sache !

— Aucun problème, admet Julien avec un large sourire. Au fait, on t'a prévenue que l'épisiotomie fait un mal de chien ?

Je glousse en espérant que l'attention de Marine va se focaliser sur ce sujet hautement plus important.

— Tu as quelqu'un dans ta vie ? m'interroge-t-elle, l'air innocent.

Loupé.

— J'ai deux filles et c'est bien suffisant.

— Bon, Marine, on joue ! coupe Greg.

Elle lève les mains en signe de capitulation.

— OK, OK ! Je suis désolée, mes hormones me rendent un peu sentimentale, je vois des couples partout.

Je range mes cartes, soulagée que nous soyons passés à autre chose. J'ai une bonne main, beaucoup d'atouts, le 21, des têtes, j'hésite à prendre, je lance un regard à mes adversaires, Marine est plongée dans le classement de son jeu, Greg semble réfléchir et Julien, le regard brillant, me dévisage. Et me trouble.

Les chroniques de Chloé

J'ai reçu un courrier anonyme. Une feuille pliée en deux glissée dans la poignée du camping-car. C'est maman qui l'a trouvée, mais elle m'était adressée.

Chloé,
Ton sourire mutin,
Ta voix cristalline,
Tes yeux de félin,
Ta bouche divine,
Tout en toi m'émeut,
Tout en toi me va,
Tu me rends heureux,
Je t'aime tout bas.

J'ai rigolé, j'ai demandé à Lily pourquoi elle me faisait une blague pourrie, elle a juré-craché que ce n'était pas elle, elle n'aurait pas dû, il y avait du vent.

J'ai interrogé tous ceux du groupe, ils ont nié, quand ils n'avaient pas l'air de ne rien comprendre. La seule que je n'ai pas questionnée, c'est Louise, parce qu'il est hors de question que je lui adresse la parole. C'est pourtant elle que je soupçonne. Il n'y a qu'elle, à ma connaissance, qui serait capable de ça, rien que pour m'emmerder. Sans parler de la simplicité du poème, qui collerait bien à son niveau mental. Cette fille est tellement vide que, quand je la regarde, j'ai le vertige.

J'ai rangé le papier dans la poubelle.

Je vous avoue que, pendant quelques instants, j'ai envisagé la possibilité qu'il puisse s'agir d'une vraie déclaration. L'idée que quelqu'un m'aime en secret m'a provoqué des papillons dans le ventre, mais la raison a vite repris le dessus. Je suis entourée d'hommes mariés ou grabataires, ça ne peut être qu'une farce.

Dommage.

Depuis que j'ai abandonné tout espoir avec Kevin, il manque quelque chose à ma vie. Il manque quelqu'un qui occupe mes pensées. J'applique mon rouge à lèvres le matin sans me demander s'il lui plaira, je choisis ma tenue sans espérer qu'il la trouvera à son goût, je m'endors la tête vide des rêves que je fais à deux. Je me sens seule. Je me sens inutile.

Je crois que c'est aussi pour ça que j'ai ouvert ce blog. J'aurais pu consigner mes pensées dans un cahier, mais les partager avec vous, savoir qu'elles vous font rire, qu'elles vous émeuvent, qu'elles vous font réfléchir, savoir que je ne suis pas la seule à ressentir ce que je ressens, à penser comme je pense, est précieux. Même si ça reste virtuel, je me sens moins seule.

Même les commentaires négatifs me font du bien. Les premiers m'ont blessée, je remettais tout en question, je n'avais aucune distance, mais, à force, ils m'ont appris à comprendre que je ne pouvais pas plaire à tout le monde, et que ce n'était pas si grave. Qu'il y aura toujours quelqu'un qui critiquera, et que ça ne veut pas dire que ce n'est pas bien.

Je suis loin d'être celle que j'aimerais être. J'envie les personnes qui ne se soucient pas de l'image qu'elles renvoient, de ce que pensent les autres. Les personnes qui ont tellement confiance en elles que rien ne peut les déstabiliser. Moi, je me remets tellement en question que je suis capable de me sentir coupable même si je suis victime. Il y en a qui, pour ne pas déplaire, n'osent pas avouer qu'ils pensent le contraire des gens. Moi, je n'ose même pas penser le contraire. J'envie ceux qui n'ont pas besoin de l'approbation des autres pour s'aimer.

J'aimerais que la seule approbation qui compte soit la mienne.

Lily

23 mai

Cher Marcel,

Heureusement qu'on ne peut pas faire une overdose d'émotions, parce que sinon je serais morte aujourd'hui. J'espère que tu serais triste.

Déjà, y avait plus de céréales au petit déjeuner, le stock qu'on avait apporté est fini, du coup j'ai dû manger des espèces de biscottes marron toutes fines avec de la confiture, ça commençait mal. Ma mère dit que tout coûte plus cher ici alors il faut faire attention à ne pas manger trop vite, mais je suis en période de croissance, je vais pas me priver, faut pas pousser mémé dans la peau de l'ours !

Après, on a dû aller à la laverie pour faire une machine, c'était long, je ne vois vraiment pas pourquoi on doit laver les vêtements puisqu'on les remet après, ça va les resalir. La logique est en voie de disparition, je te le dis.

Ensuite, on a fait un petit détour pour aller voir les chutes de Malselvfossen, il y avait Noé (et son père) avec nous, alors c'était chouette. C'est une cascade pas haute mais très large, ça fait beaucoup de bruit et l'eau va hyper vite, elle se jette en avant comme si quelqu'un lui courait après, à mon avis elle a fait une connerie. Je pense que, si tu te baignes là-dedans, ça remue tellement que tu ressors comme un Picasso. Julien nous a montré une échelle pour que les saumons remontent, on a essayé d'en voir, mais ce n'est pas la bonne période.

À un moment, ma mère parlait avec Julien et Chloé, je me suis retournée et Noé s'éloignait vers les arbres, penché en avant, j'ai vite compris qu'il cherchait sa toupie. Je suis allée à côté de lui et j'ai cherché aussi, mais il y avait de la roche, de la végétation, pas facile de trouver quelque chose. Et tu sais ce qu'on dit, c'est quand on ne cherche pas qu'on trouve. J'ai essayé de l'expliquer une fois à M. Houques, le prof de maths, parce qu'il ne comprenait pas que je ne fasse pas de calculs pour trouver la solution. Pour la peine, il m'avait donné deux heures de colle pour insolence.

Bref, j'étais tellement concentrée que je n'ai pas vu qu'on s'éloignait, mais, au bout d'un moment, Noé l'a remarqué et il a eu peur. J'ai essayé de retrouver le chemin, mais, avec tous ces arbres, je crois que je me perdais encore plus. Noé regardait tout autour de lui, je voyais qu'il était inquiet, il se balançait fort d'avant en arrière, alors j'ai commencé à flipper moi aussi. Surtout qu'il paraît qu'il y a des ours par ici. Noé s'est mis à crier, il se tapait la tête avec son poing, je ne savais pas quoi faire, j'essayais de lui parler tout doucement, mais ça ne changeait rien du tout, il hurlait, ça me faisait mal au cœur de le voir comme ça.

Tout à coup, je me suis souvenue comment faisait son père pour le calmer, il est bien plus grand que moi, c'est pas trop pareil, mais tant pis, foutu pour fichu, j'ai mis mes bras autour de lui et j'ai serré très fort. Il essayait de se débattre, mais je tenais bon. C'était dur, mais j'ai pas lâché et, petit à petit, j'ai senti le corps de Noé se détendre, il a crié de moins en moins fort et puis plus du tout. C'est à ce moment que son père est arrivé en courant, il nous avait sûrement entendus. En fait, on n'était pas loin du tout, mais j'ai le sens d'orientation d'un GPS en panne.

Je me suis fait un peu remonter les jarretelles par ma mère, mais Julien lui a dit que ce n'était rien. J'étais désolée de ne pas avoir fait plus attention, mais j'étais quand même un peu contente d'avoir réussi à apaiser Noé, ça veut dire qu'il m'accepte. J'aimerais vraiment le revoir après notre retour, j'y croyais pas trop, mais j'ai quand même demandé à son père où ils habitaient. Tu devineras jamais, Marcel ! J'ai envie de faire des roulades arrière dans la rosée tellement je suis contente ! Ils habitent à Muret, à côté de Toulouse, ça veut dire à vingt minutes de chez nous ! Je vais pouvoir le revoir, ça mérite plein de points d'exclamation !!!!!!!!!!!!!!!!!!!!!!!!

Bref, c'était déjà beaucoup d'émotions, mais figure-toi qu'après, sur la route, on a croisé des rennes. J'en avais déjà vu au village du père Noël, mais, en liberté, c'est encore plus beau. Pour finir, on a retrouvé la toupie de Noé, elle était coincée derrière le siège passager de leur camping-car.

Tu vois, Marcel, il faut que mon cœur soit très solide pour supporter tout ça. Je crois que maintenant je suis prête pour qu'on m'apprenne que j'ai gagné au loto.

Gros bisous
Lily
P-S : j'ai réfléchi, il faut que le nom de famille de mon futur mari soit Copresto.

Anna

Les cours sont l'un des aspects les plus contraignants de ce voyage. Chaque matin, Lily rechigne à effectuer ses exercices et Chloé argumente pour que je renonce à lui faire préparer le bac. Il n'est pas rare que la leçon se termine en dispute. C'est le cas ce matin, plus violemment que jamais.

— Tu prends toute la place, reproche Chloé à sa sœur, presque allongée sur la table.

Celle-ci ne réagit pas. Chloé fulmine.

— Oh, tu m'entends ? s'écrie-t-elle en lui tapotant la tête. T'es pas toute seule, je te signale !

— Chut, j'apprends ma leçon, grogne Lily.

— Maman, dis quelque chose !

— Lily, laisse un peu de place à ta sœur.

Pas de réponse, Lily semble plongée dans son livre. Je tente de trouver une solution :

— Chloé, tu n'as qu'à te mettre sur le lit, tu n'as rien à écrire, si ?

— Allez, c'est ça ! gronde-t-elle. Toujours la même qui doit faire des efforts ! Franchement, j'en ai marre de toujours passer après la chouchoute…

— N'importe quoi, lâche Lily en se redressant. Je suis pas la chouchoute !

— Les filles, calmez-vous.

— Bien sûr que si, tu le sais et t'en profites bien ! poursuit Chloé, rouge de colère. Depuis que t'es née, c'est comme ça, je passe après princesse Lily !

— Bon, Chloé, ça suffit, je n'ai pas de chouchoute comme tu dis, arrêtez de vous disputer sans arrêt, c'est fatigant.

— Je veux bien arrêter de me disputer, rétorque Lily, mais faut qu'elle arrête d'être bête.

Chloé se lève et se penche sur sa sœur.

— Genre c'est moi qui suis bête ? La bonne blague ! T'as le QI d'une algue, ma pauvre, tu sais même pas aligner deux mots sans faire une faute ! On aura tout entendu !

Elle fait de grands gestes, comme pour donner plus d'impact à ses mots. Lily la regarde sans rien dire.

— Chloé, ça…

— Sans déconner, j'en ai marre de toi ! Tu sers à rien, à part critiquer papa et attirer toute l'attention : « Oh, Lily, elle est tellement mignonne, tellement rigolote ! » Tu sais quoi ?

Elle fixe sa sœur de son regard plein de haine. Je m'approche d'elle et lui saisis le bras.

— Chloé, tu te calmes tout de suite, tu dis des choses méchantes que tu vas regretter. Arrête maintenant.

Elle ne m'écoute plus. Elle ouvre la bouche, je sens son hésitation, mais la fureur est plus forte.

— J'aurais préféré être fille unique. Que tu n'existes pas.

— Chloé ! Je t'interdis de…

Elle se fiche de ce que je lui interdis. Elle a déjà quitté le camping-car, nous laissant comme deux arbres encore debout après une tempête.

— Moi aussi, j'aurais préféré être fille unique, assène Lily, avant de replonger dans sa leçon.

Je me laisse tomber sur la banquette, dépitée.

J'aurais tellement aimé ne pas être fille unique.

Après le décès de ma mère, combien de fois ai-je regretté de n'avoir ni frère ni sœur pour partager mes souvenirs. J'aurais tant voulu ne pas être la seule à me rappeler ses baisers qui claquaient dans mon cou quand elle me souhaitait une bonne nuit, les différentes voix qu'elle prenait pour raconter les histoires, ses talons qui résonnaient dans la cour de l'école, les petits mots qu'elle glissait dans mon cartable, sa main douce sur ma joue. Mon père pleurait la femme, mémé pleurait la fille. J'aurais tant voulu avoir quelqu'un avec qui pleurer « maman ».

Plus tard, bien plus tard, j'ai su qu'elle attendait un petit garçon. C'est la grossesse qui avait provoqué un caillot.

Je ne voulais pas d'un enfant unique. Fille, garçon, brun, rousse, yeux bleus ou marron, peu m'importait. Je n'avais que deux souhaits : avoir au moins deux enfants, pour qu'ils ne soient jamais seuls à conserver des souvenirs, et ne pas mourir avant qu'ils ne soient en âge de cicatriser sans l'aide d'une maman.

Elles se disputent, elles se déchirent, elles se rejettent, mais elles s'aiment, et elles ne sont pas seules.

Je m'empare du téléphone et quitte le camping-car. Le soleil caresse les montagnes. Ce soir, nous atteindrons les îles Lofoten, cet archipel réputé pour ses paysages magiques, et le beau temps semble vouloir nous accompagner.

Je lance l'appel, la voix de mémé m'apaise aussitôt. Elle a l'air heureuse de m'entendre.

— Comment vas-tu, ma Nana ?

— Je vais bien, mémé, désolée de ne pas t'avoir appelée de la semaine, les journées sont chargées ici !

Comme chaque fois que je lui téléphone, je lui raconte les dernières étapes, lui décris les paysages qu'elle a connus. Elle m'écoute attentivement, je peux presque voir son sourire sur ses lèvres fines.

— Comment vont les filles ? s'enquiert-elle.

— J'ai l'impression que ça va, Chloé me parle de plus en plus, elle est à fleur de peau, mais je crois que ça fait partie d'elle, elle vit tout plus intensément.

— Je me demande bien de qui elle tient cela ! me taquine ma grand-mère.

— C'est sûr, elle me ressemble beaucoup, plus que je ne le pensais. Mais, contrairement à la sienne, mon adolescence a été facile.

— Oh ça oui !

J'aurais voulu vivre une crise d'adolescence explosive, me révolter, m'opposer, me faire remarquer, me tester, me tromper, mais je ne me la suis pas autorisée. Pas de bruit, pas de vagues, je me faisais petite pour qu'on m'oublie. Ne pas en rajouter. Avancer sur la pointe des pieds. Ils avaient assez souffert. Nous avions assez souffert.

— Et la petite Lily ? demande-t-elle.

— Elle s'est rapprochée d'un petit garçon, Noé. Elle a l'air de s'être beaucoup attachée à lui, j'ai l'impression qu'elle apprécie le voyage. Enfin, je te dis qu'elles ont l'air bien, mais elles viennent de se disputer et de se balancer des horreurs. Je sais bien que ça va passer, que c'est normal entre sœurs, mais, chaque fois, ça me brise le cœur.

— Ma Nana, elles sont obligées de vivre ensemble vingt-quatre heures sur vingt-quatre, si elles ne se chamaillaient pas, ce serait inquiétant !

— Tu as raison. Au moins, elles échangent, ce qui n'était pas le cas à la maison. Et toi, ça va, mémé ?

Elle glousse.

— Oh, moi, tu sais, chaque jour est du bonus, je ne vais pas me plaindre ! Mais parlons de toi, plutôt. As-tu trouvé ce que tu es partie chercher ?

Je marque une pause, je ne m'étais pas posé la question en ces termes. Ai-je trouvé ce que j'étais partie chercher ?

— Je chauffe, mémé, je chauffe.

Les chroniques de Chloé

Maman m'a demandé si je le pensais vraiment. J'ai répondu non, pour ne pas la faire culpabiliser, mais, en vrai, je crois vraiment qu'elle préfère ma sœur à moi. Elle le cache bien, même en cherchant, je ne débusque aucun indice. Mais je le sais, au fond de moi, parce qu'il ne peut en être autrement. Lily est plus aimable que moi. Elle a un bon caractère, elle est toujours d'humeur égale, elle est drôle, elle est tout ce que je ne suis pas. Elle est l'enfant que toute mère rêve d'avoir.

Soyez honnêtes : vous avez deux paires de chaussures, une confortable, jolie et tendance, l'autre inconfortable, moche et dépassée. Laquelle vous aimez le plus ?

— Tu sais que je n'ai pas de préférence ? elle a insisté.

— Je sais, maman, je sais.

En passant à côté de Lily, j'ai dit « désolée », elle a fait comme si elle n'entendait pas.

Moi non plus, je n'arrive pas à ne pas l'aimer. Je ne sais pas si c'est parce que c'est ma sœur, peut-être qu'on est programmé pour apprécier les personnes de notre sang, quoique j'aie plusieurs exemples autour de moi qui prouvent le contraire. Alors c'est peut-être parce que c'est elle.

On venait d'arriver à Lødingen, sur l'île d'Hinnøya, après avoir emprunté de petites routes sinueuses bordées de montagnes et de cascades. Ce qui se dit est vrai : en Scandinavie, le chemin est aussi beau que la destination. Le vent avait chassé les nuages, le paysage était tricolore : bleu, vert, blanc. Maman était fatiguée d'avoir conduit, elle se reposait avant d'aller visiter les alentours et Lily écrivait dans son cahier rouge, je suis sortie pour faire quelques pas. Julien et Noé étaient partis admirer les manœuvres des ferrys, Françoise et François et Marine et Greg n'étaient pas encore arrivés. Diego était assis sur une chaise pliante, au soleil.

— Edgar fait la sieste, il m'a indiqué en me proposant de me céder sa place.

J'ai refusé et je me suis assise par terre, en tailleur.

C'est bizarre comme, parfois, on se sent proche de personnes avec qui on n'a échangé que quelques mots. C'est comme ça avec Diego. Il a quelque chose dans le regard, une douce mélancolie, qui donne envie de l'aimer. Il a bourré sa pipe, allumé le tabac en aspirant plusieurs fois et recraché une épaisse fumée blanche.

— Je reçois des poèmes anonymes, j'ai lâché pour entamer la conversation.

Il m'a observée, ses paupières frémissaient.

— J'en ai reçu trois, quelqu'un les écrit et les glisse sous la poignée du camping-car, mais je ne sais pas qui c'est. Au début, je croyais que c'était une blague, mais je ne suis pas sûre.

— Que disent ces poèmes ?

— C'est très court et un peu naïf, c'est quelqu'un qui m'avoue son amour. C'est forcément un de nous. Vous avez une idée ?

Il a froncé les sourcils, ses rides se sont creusées un peu plus.

— J'ai une idée, oui, mais je la garde pour moi. Je n'ai jamais eu l'âme d'un délateur. Mais je ne pense pas qu'il s'agisse d'une blague, c'est quelqu'un qui ose réaliser un rêve.

J'ai hoché la tête, il a poursuivi :

— Tu as des rêves, petite ?

— Comment ça ?

— Tu as des rêves dans la vie ?

— J'en ai plusieurs, j'ai répondu avant de réfléchir.

— Lesquels ?

— J'aimerais trouver mon âme sœur, avoir des enfants et être heureuse avec eux.

Il a souri, a longuement tiré sur sa pipe et a craché la fumée. L'odeur un peu caramélisée avait quelque chose de réconfortant.

— Tu n'as aucun rêve personnel ? Juste pour toi ?

Je n'ai pas eu à chercher longtemps avant que la réponse ne s'impose.

— J'aimerais vivre en Australie.

— Alors il faut y aller.

— Je ne peux pas. Ma mère a besoin de moi ici, je dois gagner de l'argent, comme ça je pourrais l'aider. Si un jour elle s'en sort un peu mieux, je verrai.

Il a soupiré.

— Je connais mal ta maman, petite, mais j'en ai connu suffisamment pour savoir une chose : une mère ne peut pas être heureuse si l'un de ses enfants ne l'est pas.

Il fixait le vide en souriant vaguement.

— Tu sais, nous voulions trois enfants avec Madeleine, mais nous n'en avons eu qu'un, ce qui est déjà une chance. On l'a choyé, notre monde tournait autour de lui. Pendant vingt ans, nous avons été des parents et seulement des parents. Cela ne nous a pas rendus malheureux, au contraire, cet enfant nous rendait au centuple l'amour qu'on lui donnait, il était joyeux, tendre, drôle, généreux… À vingt ans, il nous a annoncé qu'il partait vivre au Canada, notre monde s'est écroulé. Madeleine a fait une dépression, moi, j'ai cherché le moyen de le suivre : il nous fallait un travail, un appartement, ce n'était pas si compliqué. C'est la psychologue que voyait Madeleine qui nous a fait changer d'avis. Nos enfants ne nous appartiennent pas, nous sommes comme des tuteurs de plantes qui les aident à grandir. Un enfant qui prend son envol est une récompense. Bien sûr, cela ne s'est pas fait du jour au lendemain, c'était difficile de ne plus le voir tous les jours, il a fallu qu'on se trouve d'autres buts, d'autres occupations, mais c'était un bonheur de le voir devenir un homme épanoui.

Il redevient muet et rejoint ses pensées.

— Il vit toujours au Canada ? je demande.

— Oui. Il voudrait que j'aille habiter chez lui, mais je ne veux pas.

— Pourquoi ?

Il ajuste ses lunettes de soleil sur ses lunettes de vue.

— Parce qu'on ne fait pas des enfants pour devenir leurs enfants.

Anna

J'ai acheté cinq petits trolls dans une boutique de Svolvær. C'est le souvenir typique que l'on trouve partout en Norvège. Le premier sera posé dans le salon, près de la télé, deux sont réservés à mon père et Jeannette et les derniers sont pour les filles. Un rigolo avec des cheveux en bataille pour Lily, un guerrier pour Chloé. Spontanément, j'en avais choisi deux identiques, pour qu'elles ne voient pas dans la distinction une préférence. Je me suis ravisée.

J'ai toujours fait attention à leur donner autant. J'ai pris soin de faire des cadeaux de la même valeur à leurs anniversaires, de ne pas passer plus de temps avec l'une qu'avec l'autre. J'ai décompté mes attentions comme le temps de parole d'un candidat à la présidentielle. J'ai tellement souffert du sentiment d'abandon que j'ai tout fait pour que mes filles ne le ressentent pas. J'ai échoué. J'ai lu, un jour, que les aînés se sentaient forcément en rivalité avec les enfants qui suivaient, que c'était inéluctable, quoi que nous fassions. Je pense avoir ma part de responsabilité, peut-être que, justement, en cherchant à leur offrir l'égalité, je n'ai pas préservé leur individualité.

Chloé et Lily sont différentes. Elles auront des trolls différents.

Mon téléphone sonne au moment où je referme la porte de la boutique. Je retire mes gants et plonge la main dans la poche de ma doudoune. J'hésite à répondre quand je vois le nom sur l'écran, mais, comme dirait Lily, c'est reculer pour mieux battre le fer.

— Bonjour, Mathias.

— Salut, Anna, susurre-t-il. Tu vas bien ?

— Qu'est-ce que tu veux ?

— Qu'on trouve une solution, je ne veux pas la guerre. Je veux juste le bien-être de mes filles.

Je marque une pause pour me tempérer.

— Mathias, je n'ai même pas envie de discuter avec toi, ça devient du délire.

— Aucun délire, juste un père qui s'inquiète.

J'ai envie de hurler. J'inspire longuement.

— Tu sais, poursuit-il, si tu me laissais revenir, on n'aurait pas à en arriver là.

— Tu me dégoûtes. T'en as rien à faire des filles, tu penses juste à toi. Ça fait sept ans, bordel ! Tu peux pas passer à autre chose ?

Il reste silencieux un long moment. J'arrête de marcher et change le téléphone de main. Elle tremble. Sa voix est plus dure quand il reprend.

— Comme tu veux. Je vais appeler mon avocate et lui dire de lancer la procédure. Tu perdras, n'en doute pas, j'ai les moyens et les arguments pour prouver que je suis le meilleur parent des deux. Après, j'appellerai les filles et je leur apprendrai que tu m'obliges à leur mentir depuis sept ans. Comment

229

tu crois qu'elles le prendront, hein, ma chérie ? Comment tu crois qu'elles réagiront quand elles sauront que, sans toi, elles auraient pu voir leur père bien plus souvent ?

J'avale ma salive, elle me brûle la gorge. Imaginer ses lèvres crispées tandis qu'il prononce ces mots me donne la nausée. J'entends sa respiration saccadée, il guette ma réaction. Il attend ma peur.

— Comme tu veux, Mathias, finis-je par répondre en essayant de contrôler les trémolos dans ma voix. Mais si tu leur dis la vérité, je serai obligée de la dire aussi.

Lily

27 mai

Oh là là, Marcel, je te dis pas ! Tu devineras jamais ce que j'ai vu aujourd'hui, je me suis pincé la main tellement fort pour être sûre de ne pas rêver que je me suis pété une veine. Mais c'est pas grave, je peux mourir tranquille parce que J'AI VU DES BALEINES!!!!!

Ben dis donc, je pensais que t'allais sauter de joie !

Allez, je te raconte. Hier soir, je lisais une histoire à Noé (c'était du norvégien, j'ai pas trop compris), j'ai entendu son père expliquer à Françoise et François comment il fallait faire pour voir des baleines. Mon sang n'a fait qu'un détour, j'ai bien écouté et, après, j'ai tout répété à ma mère, sauf qu'elle a gâché ma joie. Je te fais un résumé : apparemment, ça coûte vraiment cher et on est vraiment pauvres, ça va pas ensemble. Mais c'était hors de question qu'on n'y aille pas, c'est peut-être la seule fois de ma vie où j'approcherai des baleines, c'est pas dans les rues de Toulouse que je risque d'en croiser, ou alors elles ne seront pas en grande forme.

J'ai supplié, j'ai fait la danse de la séduction comme les oiseaux, j'ai même proposé de vendre mes petits doigts pour avoir de l'argent, j'ai jamais compris à quoi ils servaient. Du coup, elle a saisi que j'y tenais vraiment et elle a accepté. Plus tard, elle m'a demandé si je préférais qu'on me fasse une anesthésie avant de les couper, j'ai cru qu'elle était sérieuse, même pas drôle.

On a traversé les Lofoten dans un minibus jusqu'à Andenes, c'était joli sur la route, mais je ne pensais qu'aux baleines. Ils nous ont donné une combinaison moche, mais qui nous protégeait du froid, de l'eau et du vent. Je peux te dire qu'avec ça, Jack ne serait pas mort dans *Titanic*, mais pas sûr qu'il aurait chopé Rose. On est montés dans un petit bateau, ma mère a précisé que c'était un zodiac, je m'en souviens parce que je me suis demandé pourquoi ils l'avaient appelé comme ça, peut-être que celui qui l'a inventé aimait lire son horoscope. On était huit, les autres étaient un couple d'Anglais avec trois ados, je crois que c'est pour ça que Chloé a râlé pour mettre la combinaison.

Je me doutais que j'avais le mal de mer depuis que j'avais failli vomir à cause de la conduite de ma mère, mais là j'ai pas que failli. Il y avait plein de petites vagues, c'est comme les mauvaises notes, il vaut mieux une grosse que plein de petites. Le vent était très froid, au loin on voyait la neige sur les montagnes, faudra qu'on leur dise, aux Norvégiens, qu'on est bientôt en été. Au bout d'un moment, Magnus a arrêté le bateau, il y avait plusieurs ailerons noirs qui avançaient en même temps, apparemment c'était des mi-dauphins mi-baleines, c'était drôle, on se serait cru dans un reportage. On les a regardés pendant longtemps, on ne voyait que leur dos, ils n'ont pas voulu montrer le reste. Après, Magnus a reçu un message et on a filé plus loin, j'ai revomi, ma mère m'a caressé le dos et a insisté pour que je mâche un chewing-gum.

Marcel, t'es prêt ? Je vais te raconter LA rencontre. Je l'ai vue avant que le bateau s'arrête. Elle a lâché son jet, beaucoup de gens croient que c'est un jet d'eau, mais j'ai vu tellement de documentaires sur elles que je sais qu'en vrai, c'est du gaz et de la vapeur d'eau. C'était magique, merveilleux, fantastique, en fait il n'y a pas de mot pour décrire ce que c'était. C'était, c'est tout.

On ne voyait que son dos, elle faisait presque du surplace, on était à quelques mètres d'elle, j'avais envie de plonger pour aller nager avec elle, mais ma mère a dû s'en douter, elle m'a dit que l'eau était encore plus froide que l'air. La baleine glissait lentement et tout d'un coup elle a plongé, et sa queue s'est dressée hors de l'eau quelques secondes. Les quelques secondes les plus belles de ma vie, Marcel, j'ai failli en pleurer, tu te rends compte !

Après, on en a vu une autre, et une troisième en rentrant. Je te jure, elles sont encore dans ma tête et j'espère qu'elles vont y rester. De toute manière, elles sont trop grosses pour sortir par mes oreilles.

J'ai annoncé à ma mère que, plus tard, je veux travailler avec les baleines. Elle a rigolé. Je ne sais pas à quel âge on perd nos rêves, mais j'espère ne jamais y arriver.

Allez, je te laisse, faut que j'aille raconter ça à Noé.
Cordialement.

Lily
P-S : apparemment, en Angleterre et en Norvège,
ils font la même tête que nous quand ils sont surpris.

Anna

Marine et Greg m'ont proposé une nouvelle soirée tarot, Chloé et Lily ont mal caché leur joie de se débarrasser de moi. J'ai fait semblant de bien le prendre.

Ils sont en pleine visioconférence au moment où j'entre dans leur camping-car. Sur l'écran, une femme, un enfant en pyjama Buzz l'Éclair sur les genoux, leur parle.

— C'est sa cousine Pauline, me chuchote Greg en me faisant signe de m'asseoir.

La discussion ne dure pas longtemps, assez pour entendre Pauline se réjouir de la grossesse de Marine.

— Je suis tellement heureuse pour vous ! Tu vas voir, c'est juste du bonheur et vous allez être des parents formidables !

— Je vais avoir un cousin ? demande le petit garçon d'une voix aiguë.

— Oui, Jules, un cousin ou une cousine ! s'exclame Marine.

— Moi, je préfère un cousin !

Tout le monde se met à rire, puis Pauline donne de ses nouvelles en quelques mots, les cours de danse africaine qui lui font un bien fou, son fils qui trouve un bon prétexte pour la rejoindre dans son lit chaque nuit, le voyage aux Bahamas de ses parents, et la conversation se termine sur la promesse des deux cousines de se rappeler très vite et un bisou sonore du petit garçon.

— Tu veux une tisane ? me propose Marine, les mains caressant son ventre.

Je souris, elle prend conscience de son geste et se lève pour faire chauffer l'eau. Greg m'adresse un clin d'œil.

— Elle ne veut pas l'avouer, mais elle l'aime déjà.

Marine hausse les épaules en tentant d'empêcher les commissures de ses lèvres de remonter.

— N'importe quoi ! J'ai regardé sur Google, il ne fait même pas cinq millimètres, comment veux-tu que j'aime un truc de la taille d'une fourmi ?

— Je retiens juste que tu as regardé sur Google, réplique Greg. Tu as cherché des idées de prénoms aussi ?

Elle rougit. Greg s'esclaffe.

— Bon, ça va, admet-elle. Peut-être que je me suis légèrement habituée à l'idée de devenir maman. Pas de quoi en faire une histoire ! Anna, toujours un sucre ?

— Oui, merci ! Tu sais, ta cousine a raison, je n'ai jamais connu de plus grand bonheur qu'avec mes filles. Parfois, rien qu'en les regardant, je sens mon cœur gonfler de joie, c'est inexplicable.

— Ouais, ouais, m'interrompt Marine en posant un mug fumant devant moi. N'essaie pas de me brancher sur un autre sujet pour éviter celui qui te concerne. Alors, comment ça va avec Julien ?

Greg m'adresse un sourire désolé. Je demande innocemment :

— Comment ça, avec Julien ?

— Arrête de faire ta mijaurée ! J'ai pas beaucoup de talents, mais je sais repérer quand il se passe quelque chose entre deux personnes. Et là, ça sent l'attirance à dix bornes !

J'avale une gorgée brûlante. Trois petits coups frappés à la porte interrompent mon trouble. Greg ouvre la porte à Julien, qui s'engouffre à l'intérieur suivi d'un souffle d'air froid.

— J'ai attendu que Noé dorme profondément, indique-t-il en posant sur la table un babyphone. Alors, prêts à perdre ?

Nous enchaînons les parties, les fous rires et les confidences jusqu'à ce que le sommeil s'invite. Lorsque Marine s'endort assise, son jeu entre les mains, il est temps de prendre congé. Je suis en train d'enfoncer mon bonnet sur ma tête lorsqu'elle émerge, sans même se rendre compte qu'elle avait décroché.

— J'ai gagné ? interroge-t-elle.

— Bien sûr ! lui ment Julien en fermant son manteau.

Satisfaite, elle se lève et enroule les bras autour de mon cou pour m'embrasser.

— Vous seriez trop mignons tous les deux, chuchote-t-elle.

Je lui dépose une bise sur la joue et saute dans le brouillard froid.

— Attends, je te raccompagne, propose Julien en glissant son bras sous le mien.

Mon camping-car est garé à l'autre bout de l'aire. Nous marchons lentement.

— Alors, s'enquiert-il, tu ne regrettes pas d'avoir accepté de voyager avec le groupe ?

— Si, c'est très pénible de côtoyer des gens aussi insupportables.

— T'as raison. Marine et Greg sont particulièrement désagréables.

— Je ne peux pas les voir. Mais le pire, ça reste l'organisateur, comment il s'appelle, déjà ?

Il hoche la tête avec conviction.

— Ah oui, le type avec son fils, Julien ! Tout à fait d'accord avec toi, je ne le sens pas non plus…

— Il est odieux, toujours à vouloir rendre service. Qui sont ces gens qui veulent à tout prix aider les autres ? C'est épouvantable.

— Ouais. On devrait rétablir la peine de mort.

Je m'esclaffe. Nous sommes arrivés devant ma porte. Le brouillard nous enveloppe comme du coton. Julien se tourne vers moi sans me lâcher le bras.

— J'ai entendu ce que t'a dit Marine, murmure-t-il.

Prise au dépourvu, je bégaie :

— Elle s'est mis ça en tête. Je ne sais…

— Peut-être qu'elle voit des choses que les autres ne voient pas, glisse-t-il en me dévisageant.

Mon cœur part au galop. Je dégage doucement mon bras.

— Bonne nuit, Julien.

— Bonne nuit, Anna. Fais de beaux rêves.

Au moment où ma main atteint la poignée, je sens celle de Julien caresser ma joue tendrement. J'ouvre la porte et je m'enferme dans le camping-car, le corps recouvert de frissons.

Les chroniques de Chloé

François m'a demandé d'aider Louis à faire des exercices d'expression écrite. Sa sœur n'est pas douée en français, mais maman s'est vantée de mes bons résultats. Je n'avais aucune envie de passer une demi-journée avec un enfant de neuf ans, jusqu'à ce que son père me propose une belle somme. Mon envie ne coûte pas cher.

On s'est installés dans leur camping-car, Louis a sorti son cahier et l'a ouvert à la dernière page. Un poème de Prévert attendait qu'on imagine sa suite.

— Tu veux raconter quoi ? j'ai demandé.

Il me fixait de ses grands yeux noirs comme s'il ne comprenait pas ma question. Les idées se bousculaient dans ma tête, j'étais tentée de prendre le stylo et de me substituer à lui, de poursuivre la poésie, d'en écrire de nouvelles.

— Je sais pas, il a répondu.

— Tu as compris la poésie ?

Le garçon a secoué la tête en rougissant. À son âge, je noircissais des cahiers de brouillon entiers de mes pensées. Quand les professeurs me demandaient ce que je voudrais faire plus tard, je répondais « écrire des histoires ».

J'ai expliqué à Louis ce que l'on attendait de lui et il a commencé à rédiger en cachant ses mots de son bras.

J'ai regardé autour de moi. Louise, allongée à plat ventre sur le lit, regardait une série sur le téléphone de son père. Françoise épluchait les carottes tandis que François les coupait en rondelles.

Mes parents cuisinaient ensemble. Quand papa rentrait du travail, il rejoignait maman dans la cuisine, enlevait sa veste et sa cravate et préparait le dîner avec elle. Je m'asseyais près d'eux et je les écoutais se raconter leur journée. Ils riaient beaucoup. Papa la prenait souvent dans ses bras, ils s'embrassaient, ils se faisaient goûter les plats. J'ai souvent revu ces images en fermant les yeux le soir, avant de m'endormir. Je cherchais à trouver une raison. Une petite fille de dix ans ne peut pas comprendre que ses parents se séparent alors qu'ils s'embrassaient la veille.

J'ai posé des questions, les réponses sont restées vagues. Pendant des mois, chaque fois que j'entendais la clé dans la serrure, j'espérais que c'était papa qui revenait. Je voulais entendre sa voix dans le salon, voir sa veste posée sur le dossier de la chaise, je voulais sentir l'odeur de son déodorant dans la salle de bains. Je voulais que notre famille redevienne complète.

Lily avait cinq ans, elle ne se rendait pas compte. Je ne l'ai jamais entendue réclamer papa. Je ne l'ai jamais vue pleurer. Je me souviens de quelques crises de colère, elle se réveillait la nuit en hurlant, elle tapait ses copines à l'école, elle s'opposait à maman, mais ça n'a pas duré longtemps.

Je n'ai toujours pas compris ce qui les avait séparés, mais j'ai abandonné l'idée de revoir papa et maman se faire goûter des plats en riant.

— J'ai fini !

Louis a tourné son cahier vers moi, l'air satisfait. Il semblait avoir compris la consigne, la suite du poème était cohérente, les rimes étaient en place, l'écriture était…

L'écriture.

Le feutre bleu.

Le sang m'est monté au visage. Je n'avais aucun doute. Face à moi, un grand sourire aux lèvres, mon petit poète anonyme attendait mon avis sur ses lignes.

Anna

Lorsque nous avons pris la route, il y a près de deux mois, j'avais ajouté à ma liste mentale d'activités à prévoir le kayak dans les fjords. C'était ce genre de rêve dont on se dit qu'il ne se réalisera jamais, ce serait fou.

C'est fou.

Nous y sommes.

Avant de partir, j'ai demandé à mes filles laquelle voulait monter avec moi. Chacune a désigné l'autre. Nous avons donc pris la mer à bord d'embarcations individuelles et c'est seule que je tente d'apprivoiser la pagaie depuis dix minutes.

Lily est en tête, elle avance d'un bon rythme pour ne pas s'éloigner du moniteur et du reste du groupe. Son kayak est suivi d'une traînée ondulante qui fend l'eau transparente de la mer de Norvège.

Chloé est près de moi. Elle a certainement eu pitié quand elle m'a vue reculer au lieu d'avancer. Le soleil se reflète sur ses boucles rousses, elle ne cesse de s'extasier.

— Attends, je veux faire des photos, déclare-t-elle en posant sa pagaie à cheval sur le kayak.

Elle extirpe son appareil photo de son sac étanche.

— Fais attention de ne pas tomber.

— T'inquiète, je gère.

Nos kayaks sont à l'arrêt, le bruit de la pagaie plongeant dans l'eau cède la place au silence. Le silence absolu. Le silence inquiétant. Mon cœur bat dans mes oreilles, des fourmis envahissent mes joues. Autour de nous, les montagnes sombres font la ronde, coiffées de leurs chapeaux blancs. Le paysage se reflète dans l'eau, impeccablement lisse. Nous sommes minuscules. Mon souffle s'accélère.

— *Et si je lançais une petite crise d'angoisse, là, maintenant ? propose mon cerveau émotionnel.*

— *Non merci, sans façon, répond mon cerveau raisonnable.*

— *Quand même, elle est sur la mer, au milieu de montagnes menaçantes, loin de tout. C'est le moment idéal !*

— *C'est gentil, mais elle essaie d'arrêter.*

— *Trop tard ! J'ai déjà envoyé les fourmis dans les doigts et la tachycardie.*

— *Alors tu vas pouvoir les rappeler, parce qu'elle ne les laissera pas passer.*

— *C'est ce qu'on va voir ! Tu sais très bien que je gagne toujours. Allez, j'ajoute quelques bouffées de chaleur.*

— *Écoute-moi bien, chaton. Tu vas la laisser profiter du moment et rappeler tes potes fissa, sinon tu vas avoir le nez qui siffle.*

Chloé me regarde :

— Ça va, maman ?

— Ça va, ma puce. C'est magnifique.

244

Je l'observe pendant qu'elle enferme le panorama dans sa carte mémoire. Petit à petit, mon cœur reprend son rythme normal.

— Fais un sourire !

J'obéis sans difficulté. Si je ne risquais pas de me retrouver dans l'eau, je danserais de joie d'avoir vaincu mon angoisse. Même si je sais qu'elle n'est pas partie bien loin et qu'elle attend, tapie dans un coin, le moment opportun pour se rappeler à moi.

— T'es trop belle sur la photo ! lance Chloé. Tu me prends ?

J'approche mon kayak du sien, attrape l'appareil et immortalise ma fille et son sourire qui m'avait tant manqué.

— Bon, faut qu'on y aille, ils vont nous attendre !

Chloé range son matériel et nous partons rejoindre le groupe, aussi vite que me le permettent mes compétences en pagaie. Au loin, les silhouettes sont immobiles, sauf celle de Lily qui nous fait de grands signes avec les bras. J'essaie d'accélérer, mais cela a pour effet de me faire tourner à gauche. Je redresse et décide d'être patiente. À ma gauche, je sens le regard de Chloé sur moi.

— Quoi ? lui demandé-je en tournant la tête vers elle.

— Maman, je peux te poser une question ?

— Bien sûr !

Elle marque une pause, ce qui n'est pas pour me rassurer, puis se lance :

— Maintenant que je suis grande, tu peux me dire pourquoi tu as quitté papa ?

Anna

La première fois, il m'a cassé le nez.

C'était deux mois avant notre mariage. Il est rentré énervé du travail, il ne cessait de maugréer contre son patron, qui lui avait fait des reproches injustifiés. J'essayais de le réconforter, mais il repoussait sèchement mes tentatives. Nous vivions ensemble depuis six mois et je découvrais une nouvelle facette de sa personnalité, habituée que j'étais à sa tendresse et à sa bonne humeur. Les premières semaines, je m'étais même demandé s'il n'était pas trop gentil, si un homme avec du caractère ne me conviendrait pas davantage.

Il n'a pas apprécié que je cherche des excuses à son patron. Son poing est parti d'un coup, je n'ai pas eu le temps de me protéger. Je n'ai pas eu le temps de comprendre ce qui se passait.

Ça saigne beaucoup, un nez cassé. Il m'a suppliée d'ouvrir la porte de la salle de bains. L'eau coulait dans le lavabo, mon sang s'y mêlait, je fixais ce ballet aquatique sans parvenir à esquisser le moindre geste.

Il s'est excusé. C'était sa faute, il n'aurait pas dû, il n'avait jamais fait ça avant. Il m'aimait, il m'aimait tellement qu'il avait envie de mourir.

On a dit que j'avais foncé dans une porte. Tout le monde riait, sacrée Anna, eh ben alors, on ne voit plus les portes ?

Il a tout fait pour se faire pardonner. Il multipliait les déclarations, il était prévenant, câlin, il comblait mon besoin d'être aimée mieux que je n'aurais pu l'espérer. Le coup de poing est devenu un souvenir. Un petit accident sur notre chemin, pas assez important pour nous empêcher d'avancer.

La deuxième fois, il a évité le visage.

Chloé avait trois mois. Elle avait besoin de sentir ma présence en permanence et je la lui offrais avec bonheur. Il m'a demandé si je l'aimais encore. Lui, ce père attentionné, ce mari bienveillant, cet homme que je me sentais chanceuse d'avoir rencontré, cela me paraissait tellement évident que j'ai répondu, avec un grand sourire, « bien sûr que non ». Je n'ai pas eu le temps de dire la suite, j'ai senti son poing s'enfoncer dans mon ventre pas encore remis.

Il a passé un mois chez sa mère. J'étais catégorique : jamais je ne revivrais avec lui. Il m'appelait plusieurs fois par jour, je ne répondais pas, il laissait des messages. Il ne comprenait pas ce qui lui arrivait, il avait peur, peur de lui, il ne voulait pas être violent, c'était plus fort que lui, la culpabilité le consumait. Il a entrepris une thérapie, il s'est mis au sport. Il m'aimait trop, il craignait que je découvre qu'il n'était pas si bien, que je ne l'aime plus. Ça le dépassait, il en était terriblement désolé.

Je lui ai pardonné et, pendant longtemps, je m'en suis félicitée. Il avait réussi à vaincre le monstre qui essayait de prendre sa place. Il avait des failles, qui n'en a pas ? Moi non plus, je n'étais pas facile tous les jours. Depuis que je travaillais à mi-temps dans un restaurant, j'étais souvent fatiguée le soir. Il m'arrivait de le repousser, d'oublier de lui montrer que je l'aimais.

J'avais retrouvé mon âme sœur, cet homme qui savait tout de moi, cet homme qui me faisait rire, vibrer, rêver.

C'était un dimanche matin, Chloé avait passé la nuit chez la petite voisine, Ayna, Lily dormait encore. Elle avait cinq ans. Je me suis levée pour me préparer, je travaillais le midi. Il était encore allongé. Il m'a retenue par le bras.

— Il en a une plus grosse que moi ?

Je ne comprenais pas de quoi il parlait, j'ai cru que c'était une blague, j'ai ri. Il m'a tirée brutalement, je suis tombée sur le lit, il s'est assis à califourchon sur moi et il a serré les mains autour de mon cou. Ses yeux étaient plongés dans les miens, je ne les reconnaissais plus. Je me débattais, mais il était plus fort que moi. Il serrait. Serrait. Je ne pouvais plus respirer. Je voyais l'homme que j'aimais me tuer. Il a relâché avant que je ne perde connaissance.

— Espèce de pute, tu vas le payer.

Je lui frappais les bras, le torse, je lui griffais les joues, les cuisses. Il m'a laissée me dégager, j'ai roulé par terre et rampé jusqu'à la porte. Un grand coup de pied dans les côtes m'a coupé le souffle. De l'autre côté, j'entendais Brownie, notre petite chienne, gratter.

Il m'a relevée par les cheveux et a frappé ma tête contre l'armoire. J'étais sonnée, mais j'arrivais encore à penser qu'il allait me tuer. J'étais terrorisée. Je pensais à Lily et Chloé, qui se retrouveraient seules avec lui. Qui retrouverait mon corps ? Lily ? Chloé ? Comme moi celui de ma mère ?

Il a tapé une deuxième fois, plus fort. J'étais pliée en deux lorsque la porte s'est ouverte. Brownie s'est engouffrée en remuant la queue, Lily se tenait dans l'encadrement, les cheveux emmêlés. Effrayée.

J'ai essayé de me redresser pour la prendre dans mes bras, il a été plus rapide. Il m'a donné un dernier coup de pied dans le tibia et a serré le visage de notre fille entre ses doigts.

— Si tu en parles, ta mère le paiera.

Nous avons vécu chez mon père pendant une semaine. Je lui ai tout dit. Jeannette et lui étaient effarés. Qui aurait pu penser que cet homme charmant, qui s'élevait contre les injustices, était violent ?

Il m'a suppliée de lui laisser une dernière chance. Il allait prendre un traitement, se faire hospitaliser, trouver une solution pour que cela n'arrive plus jamais.

C'est moi qui ai trouvé la solution pour que cela n'arrive plus jamais. Il devait partir.

Cela ne s'est pas fait sans mal, il a tenté le chantage, l'apitoiement, les menaces contre lui, contre moi, contre les filles. Il est allé vivre chez sa mère, à Marseille. Lorsque nous avons regagné l'appartement,

Brownie était morte. Le vétérinaire m'a appris qu'elle avait le foie et la rate explosés.

Je souris à Chloé, qui pagaie en me regardant. Elle attend ma réponse.

— On s'est séparés parce qu'on ne s'entendait plus, ma puce.

Les chroniques de Chloé

J'ai reçu un nouveau poème. Il était à l'emplacement habituel quand on est remontées à l'aire des camping-cars après avoir passé l'après-midi à Nusfjord. Petite nouveauté : il y a désormais des cœurs sur les « i ». Si j'avais encore eu un doute, il se serait volatilisé.

Je t'offrirais de beaux bijoux,
Des fleurs pour ton appartement,
Des parfums à vous rendre fou
Et, juste à côté de Milan[1],

Je ferai un domaine
Où l'amour sera roi
Où l'amour sera loi
Où tu seras reine[2],

Apparemment, le petit Louis a épuisé son inspiration.

---

1. Diane Tell, *Si j'étais un homme*, © Tuta Music Inc., 1981.
2. Jacques Brel, *Ne me quitte pas*, © Warner Chappel Music France et Éditions Jacques Brel, 1959.

Je suis entrée dans le camping-car la première, ravie des photos prises au village de pêcheurs. Les maisonnettes rouges et jaunes se reflétaient dans les eaux placides du petit fjord, c'était une carte postale.

Mon premier geste a été de vérifier si Kevin avait répondu à mon message envoyé le matin même.

« Je rentre bientôt, j'espère qu'on se verra. Je pense souvent à toi. Bises »

Il avait répondu, et c'était plutôt clair :

« Fou moi la paix »

J'ai jeté le téléphone sur la banquette et je suis sortie sans prononcer un mot. J'avais besoin de m'isoler, de réfléchir. J'ai traversé le parking et j'ai marché le long de la route, sans savoir où j'allais. En contrebas, la vue sur le fjord et le village était dingue.

La poisse ayant décidé d'être de mon côté, je suis tombée sur Louise, assise dans l'herbe, la tête dans ses bras. J'ai continué en essayant de faire le moins de bruit possible, histoire qu'elle ne m'entende pas, mais la peste a l'ouïe fine. Elle a sursauté et m'a regardée.

— Qu'est-ce que tu fais là ? j'ai demandé.

— Rien.

— Pourquoi tu mets ta main devant ta bouche ?

— Pour rien, je te dis.

Elle était toute rouge. La poisse n'était peut-être pas où on la pensait. Je me suis assise à ses côtés :

— T'as perdu une dent ?

Elle a secoué la tête, les sourcils froncés. J'ai insisté.

— Quoi, alors ? Montre-moi, tu ne vas pas pouvoir vivre avec ta main devant la bouche.

Elle a haussé les épaules, ses yeux se sont emplis de larmes. Tout doucement, elle a baissé sa main et le carnage est apparu.

Le visage de Louise arborait une moustache marron de toute beauté.

— Qu'est-ce que c'est ?

— Ben, j'ai voulu m'épiler, mais la cire était trop chaude. Alors j'ai une croûte.

J'ai essayé de ne pas me moquer. Je vous promets que j'ai essayé. Mais il aurait fallu la voir, avec son air ahuri et sa moustache en croûte. Vous n'auriez pas résisté non plus.

C'était un gloussement muet, contenu, qui aurait pu en rester là si Louise n'avait pas pouffé à son tour. Le souci, c'est que ça a étiré sa croûte, ça lui a fait mal, alors elle a ri et gémi de douleur en même temps, le tout en appuyant sur les côtés de sa bouche avec les doigts. Je ne pouvais plus lutter. Il est monté du ventre, il a fait céder mes barrages de compassion, il a explosé, un fou rire bruyant, fort, qui fait mal au ventre et couler les larmes. Louise criait d'hilarité.

Quand on a fini par se calmer, plusieurs minutes plus tard, on était allongées dans l'herbe et on avait les joues inondées.

Je me suis rassise et j'ai essuyé mon visage.

— T'as de la chance, c'est à la mode.

— Les petits seins aussi, elle a rétorqué.

Elle n'était peut-être pas si inintéressante.

En revenant à l'aire, on a fait comme si on ne venait pas de passer une heure à discuter. Diego était dehors, en train de fumer, je suis allée le voir.

Les mots qu'il avait eus concernant les parents et les enfants tournaient encore dans ma tête.

— Petit moral ? il a demandé.

— Ça peut aller. Et vous ?

— Je vais bien, mieux qu'Edgar qui passe son temps à dormir. J'espère qu'il ne va pas nous lâcher avant le retour.

Il a dû avoir pitié de mes yeux écarquillés, il a souri.

— Alors, qu'est-ce qui te tracasse ? Une histoire de cœur ?

— On peut dire ça…

Il a aspiré longuement sur sa pipe et a recraché la fumée, les yeux sur le fjord.

— Tu sais, petite, si je pouvais revivre toute ma vie en sachant tout ce que j'ai appris, je serais bien plus heureux. On se tracasse souvent pour pas grand-chose. Ce que l'on croit être négatif ne l'est pas forcément, et vice versa.

— Comment ça ?

— À vingt-deux ans, j'ai eu un grave accident de vélo. J'avais plusieurs fractures, mais ce qui me chagrinait le plus, c'était de ne pas pouvoir me rendre le soir même à un bal auquel je pensais depuis des jours. Je devais y retrouver une jeune femme qui me plaisait beaucoup, Lucie. Toute la journée, j'ai essayé de convaincre les médecins de me laisser sortir, en vain. Je les ai maudits. Lucie s'est rapprochée d'un jeune homme du village voisin et n'a plus répondu à mes lettres. J'étais desespéré, je croyais ma vie fichue. Un mois après, je rencontrais ma Madeleine. La même année, mon frère, dont j'étais très proche, a été nommé chef de la verrerie dans laquelle il travaillait. C'était une grande joie, jamais personne dans notre famille n'avait atteint ce niveau. Il commençait plus tôt le matin et finissait plus tard, mais rien ne pouvait gâcher son enthousiasme. Un soir, en rentrant, il a loupé un virage. Il est mort sur le coup. Des exemples comme ceux-là, j'en ai des dizaines. Si je ne m'étais pas blessé, je n'aurais pas connu mon épouse. Si mon frère n'avait pas eu une promotion, il aurait peut-être vécu plus longtemps. Tout au long de notre vie, on juge ce qui nous arrive, on se réjouit, on se lamente. Pourtant, on ne saura qu'au dernier moment s'il y avait lieu de se réjouir ou de se lamenter. Rien n'est figé, tout évolue. Ne sois pas triste aujourd'hui, car ce qui t'arrive est peut-être un grand bonheur.

J'ai écouté les paroles du vieil homme attentivement, sa sagesse était communicative, puis j'ai regagné le camping-car en me demandant si ce qu'il m'avait dit était une bonne chose ou une mauvaise chose.

Anna

Il est minuit. C'est la dernière fois que nous voyons le soleil à cette heure-ci. Demain, nous quitterons Bodø et repasserons sous le cercle arctique.

Les camping-cars sont installés sur un parking au sommet d'une colline surplombant la ville et la mer. Avec les filles, nous avons voulu en profiter au maximum. Assises sur la roche, à l'abri du froid sous une couette moelleuse, nous admirons le spectacle magique du soleil qui refuse de s'endormir. Nous ne parlons pas. L'émotion n'a pas besoin de mots.

— Je peux m'installer avec vous ? demande la voix de Julien dans notre dos.

— Prends ma place, je suis crevée ! répond Lily en se levant. Bonne nuit !

— Pareil, et il faut encore que j'écrive sur mon blog, ajoute Chloé avant d'écraser une bise sur ma joue et de suivre sa sœur.

J'hésite à les imiter, mais je ne voudrais pas vexer Julien. Il reste planté à côté de moi, semble hésiter, alors je soulève la couette et il s'installe à mes côtés.

— C'est l'île de Landegode là-bas, m'apprend-il en pointant du doigt les montagnes qui masquent partiellement le soleil.

— Tu peux lui dire qu'elle nous gêne ?

— Je vais voir ce que je peux faire, répond-il sérieusement.

Il colle sa bouche contre le babyphone.

— Allô Landegode, ici le directeur général du Centre de préservation de la beauté du monde. Nous avons reçu des plaintes, car vous vous êtes garée juste devant le soleil, merci de trouver une autre place, sinon je me verrai dans l'obligation de vous envoyer mon meilleur agent, madame Anna, pour vous régler votre compte. Et je peux vous dire qu'elle ne rigole pas. Vous voyez Atlantide ? Eh bien, voilà, c'est elle. En vous souhaitant une belle soirée !

Il range le combiné dans la poche de son blouson et se tourne vers moi.

— C'est arrangé, elle prépare ses affaires et elle bouge.

— Très bien, directeur Julien. Au pire, si elle n'obéit pas, tu pourras toujours lui faire une prise de ju-jitsu.

Il sourit. La lumière dorée fait pétiller ses yeux. Son regard est plongé dans le mien, je n'arrive pas à m'en détourner. Peu à peu, son sourire s'efface, ses yeux parcourent mes joues, descendent sur ma bouche, caressent mes lèvres. Longtemps. Longtemps. Une vague de chaleur envahit mon corps, Julien approche lentement son visage du mien, le désir me pousse vers lui, mais je prends soudain conscience qu'on peut nous voir. Alors, je recule la tête et nous nous replongeons tous deux dans la contemplation du soleil de minuit.

Lily

30 mai

Cher Marcel,

J'espère que tu vas bien !

Dis donc, je crois que ma mère a raconté des trucs sur moi à Françoise, trop bizarre, elle est venue me voir pour me dire que je ne devais pas me laisser faire, que le harcèlement, c'était grave, qu'elle aussi, quand elle était au collège, elle était le bouquet mystère. Elle m'a raconté sa vie, au début je l'écoutais pour lui faire plaisir et, après, je l'écoutais parce que c'était intéressant. Je lui ai expliqué que je n'étais pas harcelée, que je m'en fichais que les jumelles m'embêtent, elle a répondu qu'elle aussi disait ça, mais qu'en vrai ça lui faisait du mal. Comme moi. Je ne pensais vraiment pas ça d'elle. Du coup, je lui ai demandé comment elle avait fait et elle m'a donné deux astuces. Je te les écris, on sait jamais, ça pourra peut-être te servir un jour.

La première : si un autre cahier est méchant avec toi et que tu as peur, tu l'imagines avec la gastro.

La seconde : au lieu de répondre méchamment (ou pas du tout), il faut faire un grand sourire et un compliment. Je vois pas en quoi ça peut aider, mais Françoise m'a juré que ça marchait.

Quand elle est partie, ma sœur est venue me voir, je crois qu'elle avait tout entendu, mais elle n'a rien dit. Elle arrêtait pas de discuter du temps, de la route qui était trop belle, on voyait qu'elle voulait me parler de quelque chose mais qu'elle n'y arrivait pas, et puis elle a fini par y arriver. Elle m'a avoué qu'elle ne pensait pas ce qu'elle avait dit l'autre fois, qu'elle était heureuse d'avoir une sœur et qu'elle était encore plus heureuse que ce soit moi, sa sœur. J'ai essayé de ne pas trop sourire, faut pas qu'elle croie que je suis une sœur facile, mais je lui ai quand même répondu que moi aussi j'étais contente que ce soit moi, sa sœur.

Au fait, au retour, il faudra que tu me fasses penser à trouver un magasin où on peut acheter du brunøst. C'est un fromage marron, il a un peu un goût de caramel, c'est tellement bon que je pourrais manger que ça toute ma vie. Tiens, je t'en pose un peu sur la page, goûte, tu m'en diras des nouvelles.

Allez, je te laisse, on vient de s'arrêter pour voir une cascade, j'espère que cette fois il y aura des saumons qui sautent (et peut-être des ours).

Bisous Marcel !
Lily
P-S : je ne sais pas qui c'est qui a inventé tous ces mots bizarres en norvégien, avec des ø, des å et des æ, mais à mon avis il ne buvait pas que de l'eau.

Les chroniques de Chloé

— Tu aimes bien Julien ?

Maman ne s'attendait pas à la question. Elle me la fait répéter.

On est à bord du ferry qui nous mène à Vevelstad, assises à l'extérieur, un bol de soupe nous réchauffant les mains. On slalome entre les petites îles, le paysage est grandiose avec ces gros nuages blancs qui flottent dans le ciel.

Maman avale une gorgée.

— Pourquoi tu me demandes ça ?

— Je sais pas, j'ai l'impression que tu l'aimes bien. Non ?

Elle hausse les épaules, mais son air gêné ne trompe pas.

Depuis que maman a quitté papa, je ne lui avais jamais posé de question de ce genre. Je ne l'avais jamais fait parce que je ne voulais pas connaître la réponse.

Bien sûr, je voudrais la voir heureuse. Mais papa ne le supporterait pas. Il me l'a avoué plusieurs fois.

Sept ans après, raviver les sentiments de maman reste son seul objectif. Chaque fois que je l'ai au téléphone, il me parle des lettres qu'il lui envoie, des prières qu'il adresse à quelqu'un dont il n'est même pas sûr qu'il l'entende, il me raconte ses souvenirs, il a la voix qui tremble, je sens sa détresse, elle me saute à la gorge. Il se sent seul chez lui, loin de la femme de sa vie, loin de ses filles. Ça me flingue.

Je sais qu'un jour elle trouvera quelqu'un. Je sais que ce ne sera pas papa. C'est terrible de savoir que le bonheur d'un de ses parents entamera celui de l'autre.

Maman plaît aux hommes. Je vois comment ils la regardent. J'ai vu le numéro de téléphone glissé sous l'essuie-glace. J'ai entendu le vigile du supermarché lui lancer qu'elle était charmante. J'imagine qu'elle a eu des histoires, depuis sept ans. Des amourettes, des passades. Elle n'en a jamais rien laissé paraître. C'est la première fois que j'ai un doute.

J'ai remarqué comment elle regardait Julien. Elle peut dire ce qu'elle veut, il y a quelque chose en moins quand elle regarde Edgar ou Diego.

Après plusieurs secondes de réflexion, elle finit par répondre :

— Je l'aime bien, il me fait rire. Il ne te fait pas rire, toi ?

— Maman, arrête de répondre à mes questions par des questions, c'est chiant.

— Dommage, j'en ai une à te poser. Ça t'ennuierait que je sois en couple ?

— Avec Julien ?

— Avec n'importe qui, arrête un peu avec Julien.

J'ai réfléchi.

Depuis deux mois, mes certitudes ont été chamboulées. J'ai passé plus de temps avec maman que pendant ces dernières années. Papa mérite d'être heureux, elle aussi. Que ce soit seule ou avec un autre.

— Ce serait peut-être un peu difficile au début, j'ai admis. Mais je m'y ferai.

Elle a souri, j'ai ajouté une précision :

— Mais par pitié, pas l'homme qui murmure à l'oreille des camping-cars avec ses chemises de bûcheron !

Anna

J'avais onze ans lorsque mon père m'a présenté
Jeannette. Ma mère était morte depuis trois ans.

Il est venu me chercher au collège et m'a annoncé
qu'on allait manger au restaurant. On ne mangeait
jamais au restaurant.

Il travaillait beaucoup à cette époque, je passais
souvent la nuit chez mémé. Nous nous étions créé un
cocon d'habitudes, chez elle j'avais l'impression que
rien ne pouvait m'arriver. Tous les soirs se ressem-
blaient. Je rentrais, j'enfilais mes chaussons, j'aimais
quand ils étaient un peu usés, ils glissaient mieux
sur le carrelage. Mémé m'avait préparé le goûter, un
verre de lait chaud, une crêpe ou une gaufre et du
sucre glace qu'elle fabriquait elle-même en mixant
le sucre en poudre. Quand j'en faisais tomber sur
la toile cirée qui recouvrait la table, je le tapotais
du bout du doigt et je le suçais avec délice. Ensuite,
nous faisions mes devoirs et, si nous avions le temps
avant de préparer le dîner, des mots croisés. Elle me
laissait parfois remplir les grilles, mais, la plupart
du temps, j'étais chargée de chercher les définitions
dans le dictionnaire. Nous passions alors en cuisine.

J'avais mon propre tablier, rouge avec des fleurs mauves dessinées dessus. J'attrapais les ingrédients qu'elle me demandait, elle me laissait battre les œufs, étaler la pâte, beurrer les plats. J'avais toujours peur au moment d'allumer le four, je craquais l'allumette, puis je l'approchais du petit trou pendant que mémé appuyait sur le bouton pour faire sortir le gaz. En attendant que ce soit prêt, j'allais enfiler mon pyjama tandis qu'elle fermait les volets, puis nous nous installions sur le canapé pour regarder des jeux télévisés. La maison s'emplissait d'odeurs divines, mon ventre gargouillait. Nous discutions beaucoup en dînant. J'aimais quand mémé me racontait ses souvenirs, j'aimais savoir quelle petite fille elle était, j'aimais qu'elle me parle de ses parents, de pépé, qui était mort cinq ans plus tôt. Par-dessus tout, j'aimais qu'elle me raconte ma mère, son enfance, son rire, et ce soir de décembre où elle leur avait annoncé que j'étais dans son ventre. J'avais le droit de lire avant de dormir. Mémé avait entièrement redécoré la chambre de ma mère à mes goûts. Nous avions choisi la tapisserie et les meubles ensemble. Elle m'embrassait trois fois sur la joue, puis elle me disait « Bonne nuit, ma Nana », et elle était bonne, parce que mémé était là.

Ce soir-là, il était prévu que je dorme chez elle, mais mon père m'attendait devant le collège. Nous avons passé un moment à la maison, il a mis beaucoup de parfum, puis nous sommes allés au restaurant. C'était une table de trois, mais je ne me suis doutée de rien jusqu'à ce qu'elle arrive.

Elle portait un chemisier rouge et un sourire gêné. Elle m'a tendu un paquet, mon père m'a encouragée à l'ouvrir sans attendre. C'était un cahier.

— Ton père m'a dit que tu écrivais des poèmes.

J'ai mangé un steak haché, des frites et une glace au chocolat, ce n'était pas très bon. Jeannette était agréable, elle parlait beaucoup, comme pour ne pas laisser de place au malaise. Elle était divorcée et n'avait pas d'enfant, son sourire se faisait discret quand elle l'évoquait. Elle travaillait à la garderie d'une école maternelle, mon père et elle s'étaient rencontrés dans la salle d'attente du médecin. Elle s'était foulé la cheville droite, lui le poignet gauche, ils y ont vu un signe.

Au dessert, elle a posé sa main sur celle de mon père. Il l'a retirée doucement.

Nous nous sommes dit au revoir sur le trottoir, elle m'a glissé qu'elle était heureuse de m'avoir rencontrée, je lui ai répondu que moi aussi. Dans la voiture, mon père m'a demandé ce que je pensais d'elle, je ne lui ai pas menti : elle avait l'air gentille et elle avait de jolis yeux.

Il y avait longtemps qu'il n'avait pas sifflé sous la douche, j'étais heureuse pour lui. Il m'a serrée fort dans ses bras avant d'aller se coucher.

— Bonne nuit, ma chérie, a-t-il dit.

— Bonne nuit, papa, ai-je répondu en souriant.

Il a fermé la porte de ma chambre, je me suis glissée dans mon lit et j'ai pleuré toute la nuit.

Anna

— Allô, Jeannette ?

— Ma chérie, comment vas-tu ? Papoute, viens, c'est Anna au téléphone !

J'entends la voix de mon père se rapprocher du téléphone.

— Demande-lui si elle a bien eu mon message, fait-il à Jeannette.

— Attends, je mets sur haut-parleur, répond-elle.

— Anna, tu as eu mon message ? répète-t-il, sa bouche manifestement collée au micro.

— Je l'ai bien eu, je suis désolée, je n'ai pas pris le temps de vous rappeler…

— Tant mieux, c'est que tout va bien, rétorque ma belle-mère. La dernière fois qu'on vous a eues, vous étiez dans les Lofoten, vous y êtes toujours ?

Je leur raconte les dernières étapes, le soleil de minuit, le kayak, ils exigent des tonnes de détails.

— On comptait faire l'Italie pour notre premier voyage en camping-car, mais tu nous fais hésiter, lâche mon père.

— Rien ne nous empêche de faire les deux…

— Oh ça, c'est ma Poupoune d'amour ! glousse-t-il.

— Youhou, je suis là ! interviens-je avant que ça ne dégénère. Je vous recommande la Scandinavie, les paysages sont différents d'un kilomètre à l'autre, on en prend plein les yeux. Je connais même quelqu'un qui pourra vous accompagner.

Les minutes suivantes sont consacrées à planifier leur prochain départ, ils sont survoltés. Mon père finit par retourner à ses occupations, non sans avoir réitéré ses recommandations concernant son véhicule.

— Et les filles ? s'enquiert Jeannette.

— Elles vont bien, j'ai l'impression de les redécouvrir, c'est un vrai plaisir de vivre avec elles.

— Tu as vraiment bien fait de t'écouter, ma chérie. Tu leur as parlé ?

— Non. Pas encore. Je vais te laisser, je dois aller à la laverie, on n'a plus rien de propre.

— D'accord, fais une grosse bise aux filles pour moi. Et je t'embrasse fort fort. J'ai hâte de te revoir, tu sais.

— J'ai hâte aussi. Gros bisous, Jeannette.

Lily

1ᵉʳ juin

Cher Marcel,

Ça roule, ma poule ? Ne réponds pas, on n'a pas le temps, faut que je te raconte un truc tellement dingue que même moi je trouve ça dingue.

On était tranquillement à Trondheim, on se baladait dans Old Town, Chloé photographiait les façades historiques et le pont Gamle Bybro quand, tout à coup, elle a eu une idée qu'elle aurait mieux fait de ne pas avoir. Elle voulait aller à Ikea, parce que c'était dommage de visiter la Scandinavie sans en voir un. J'ai failli la pousser dans l'eau. C'est déjà pénible de faire les boutiques en France, j'étais au bout du gouffre.

Maman était d'accord avec elle, j'ai eu beau essayer de les faire changer d'avis, de leur répéter que c'est un magasin suédois et qu'on aurait donc dû y aller en Suède, j'ai bien vu que je ne faisais pas le poids. Et je ne dis pas ça parce que ma mère a pris deux kilos.

Ikea en Norvège, c'est la même chose qu'Ikea en France, sauf que, pour les gens d'ici, les noms des produits veulent vraiment dire quelque chose.

On a fait notre petit tour, j'ai essayé de me poser sur un lit en attendant qu'elles aient fini, mais j'ai bien vu dans les yeux du vendeur que j'avais intérêt à bouger. Son regard n'avait pas besoin de traducteur.

Je crois qu'elles ont regardé CHAQUE article de CHAQUE rayon. Je n'étais pas loin de sauter depuis le haut de l'armoire Sniglar quand j'ai repéré quelque chose qui m'a redonné envie de vivre. Je n'en croyais pas mes yeux, pourtant ce ne sont pas des menteurs, alors j'ai demandé à Chloé de venir voir, et ses yeux ont dit la même chose que les miens.

Bon, j'arrête de te faire patienter, je vois que tu n'en peux plus de ce suspense, on se croirait à la fin d'un épisode de « Desperette A Soif ». Donc, c'était au rayon des cadres et des affiches, il y en avait plein, de toutes les tailles, de toutes les formes, il y avait même un grand paravent dans lequel on pouvait glisser vingt photos, ça me faisait rigoler parce qu'ils avaient mis vingt fois la même. C'est cette photo le truc de dingue. J'ai percuté que je l'avais déjà vue quelque part, mais j'ai mis plusieurs minutes à me souvenir où c'était.

T'es prêt, Marcel ? Attention, c'est du lourd, ne va pas faire un malaise vaginal !

OK, je te dis.

C'est la photo des femmes d'Edgar et de Diego. Deux femmes pas toutes jeunes qui rient devant un lac, c'est elles, il n'y a aucun doute.

Je te jure, cette histoire est trop bizarre, je n'arrive pas à comprendre, mais avec Chloé on a décidé qu'on allait mener notre enquête. On est de bonnes détectives, on a souvent joué à Cluedo.

D'ailleurs, on a commencé à réfléchir, et il n'y a pas trente-cinq solutions.

Petit un : Ikea a volé la photo de Madeleine et Rosa et c'est très très très très grave, surtout que c'est une publicité mensongère parce qu'en vrai elles sont mortes.

Petit b : Edgar et Diego ne connaissent pas les femmes de la photo et c'est très très très très grave parce que je comprends rien.

Mais t'inquiète pas, Marcel, on va trouver la solution, tout vient à point à qui ménage sa monture.

Bisous
Lily
PS : ce matin, j'ai pris la main de Noé pendant qu'on regardait la toupie et il s'est laissé faire.

Les chroniques de Chloé

Je voulais qu'on se la joue discrètes pour découvrir le secret de cette photo. Malheureusement, il semble que nous soyons des détectives pas vraiment privées. Les papys ont compris dès qu'on a demandé à revoir le visage de leurs femmes.

— Pourquoi vous la voulez ? Edgar a demandé.

— Juste pour ne pas les oublier, j'ai répondu.

Il m'a regardée avec méfiance. Lily est intervenue :

— On a trouvé la même photo chez Ikea.

Edgar a froncé les sourcils.

— Ça veut dire quoi ?

— Ça veut dire qu'on est cuits, Diego a répliqué.

— Ah.

Ils nous ont invitées à entrer, on s'est installées sur la banquette. Lily avait enfilé ses lunettes de soleil, elle trouvait que c'était plus impressionnant.

— Qu'est-ce que vous savez ?

J'ai expliqué la photo identique trouvée dans un paravent, les deux hommes m'écoutaient la tête baissée. Soudain, Diego s'est levé, a saisi le cadre et l'a posé sur la table.

— C'est vrai, ce ne sont pas Madeleine et Rosa, il a admis, la voix tremblante.

— Arrête, ne dis rien ! Edgar s'est écrié.

Son ami l'a rassuré en posant la main sur son épaule et a poursuivi :

— C'était trop douloureux de voir leurs visages en permanence, alors nous avons opté pour une image neutre au cas où quelqu'un voudrait les voir.

Lily a baissé ses lunettes et froncé les sourcils.

— Arrête ta charrette, Ben Hur ! Vous nous prenez pour des quiches lorraines ?

Edgar a approuvé :

— C'est vrai que ton histoire ne tient pas debout. Raconte-leur, je crois qu'on peut leur faire confiance.

— Vous pouvez ! j'ai promis.

Tout en nous servant un verre de jus d'orange, Diego nous a livré leur histoire.

Depuis le décès de sa femme, son fils s'inquiétait de le savoir seul et insistait pour qu'il le rejoigne au Canada. Le vieil homme refusait : il ne voulait pas être une charge. Il ne voulait pas non plus lui causer du souci, c'est pourquoi, il y a trois mois, il avait emménagé dans une maison de retraite.

— Abandonner le foyer qui abritait tous mes souvenirs a été un crève-cœur, il a soupiré. Mais c'était le prix de la tranquillité de mon garçon.

C'est là-bas qu'il a rencontré Edgar, résident de la chambre voisine depuis le décès de son épouse, près d'un an plus tôt. Lui n'avait pas eu le choix : sa fille et son gendre avaient décrété qu'il ne pouvait pas rester chez lui après avoir mis le feu au micro-ondes en préparant ses pâtes.

Leurs deux solitudes se sont unies. Le sablier s'écoulait lentement, les journées traînaient, les conversations ronronnaient. Ils n'attendaient plus qu'une chose : la délivrance.

Elle n'est pas apparue comme ils l'avaient imaginée, mais sous la forme d'un camping-car.

— Le directeur de la maison de retraite est venu exhiber son nouvel achat auprès des employés et des résidents, Edgar a raconté. On observait le spectacle depuis la cour, c'était l'attraction du jour. À un moment, ils ont tous disparu à l'intérieur du bâtiment. On en a profité pour aller admirer la bête de plus près. C'est là que tout a basculé.

La clé était sur le contact et les papiers sur le tableau de bord. Diego a pris le volant, Edgar le siège passager. Dans le rétroviseur, le directeur a couru longtemps, ils en riaient encore.

Ils n'avaient rien planifié. Ils n'avaient nulle part où aller. Juste un camping-car dernier cri et le palpitant à dix mille.

— On a roulé des heures, sans but, Diego a poursuivi. On était excités comme des gosses. Heureusement, j'avais ma sacoche avec moi, avec mes lunettes, mes médicaments et ma carte bancaire. On s'est arrêtés quand le voyant de l'essence s'est allumé, mais impossible d'ouvrir ce foutu réservoir. Heureusement, un homme est venu nous aider. Avec une chemise à carreaux.

Julien venait de prendre la route pour son nouveau périple. Il a immédiatement senti que quelque chose ne tournait pas rond. Les papys se sont confiés à lui. Attendri par leur histoire, il leur a expliqué que, le lendemain, il devait rejoindre d'autres camping-caristes pour un road trip en Scandinavie. Il leur a proposé de se joindre au groupe, à la condition qu'ils préviennent leur famille.

Edgar a raconté la suite :

— On a réfléchi toute la nuit. Au petit matin, après avoir acheté des vêtements, nous avons appelé nos enfants depuis le téléphone de Julien. Ils avaient été prévenus par le directeur. Le fils de Diego se faisait un sang d'encre pour nous ; ma fille, quant à elle, était folle de rage pour le camping-car. Ils nous ont implorés de rentrer, on a affirmé qu'on le ferait. Mais on n'a pas précisé quand.

Lily avait enlevé ses lunettes et buvait leurs paroles.

— Mais alors, ce n'était pas un voyage que vous deviez faire avec vos femmes ? elle a interrogé.

— Pas exactement, a répliqué Edgar. Ma Rosa détestait le froid et Madeleine n'aimait pas voyager. Quand Julien nous en a parlé, on a pensé que ce serait la plus belle façon de conclure notre séjour sur terre. Au fond, nous n'avons pas vraiment menti : quand on les rejoindra, je suis sûr qu'elles nous féliciteront.

On est restés silencieux pendant un long moment. Eux, perdus dans leurs souvenirs ; nous, noyées dans la surprise.

— Ça n'explique pas le cadre ! j'ai fini par m'exclamer.

Edgar a secoué la tête.

— Le matin où tu es venue boire un café avec nous, je venais de l'acheter à Ikea, à Stockholm. C'était l'alibi parfait pour qu'on croie à notre histoire, on avait peur d'éveiller les soupçons.

Diego est intervenu :

— Vous comprenez, je n'ai jamais rien volé de ma vie, même pas un timbre ! J'ai l'impression d'être un fugitif, je m'attends à voir la police débarquer à tout instant, j'ai failli faire une attaque quand la douane a fouillé nos véhicules. Il nous fallait une histoire solide, on ne devait pas parler de la maison de retraite, on a juste un peu modifié l'histoire. Deux veufs qui effectuent le voyage organisé avec leurs épouses, cela empêcherait les gens de poser trop de questions. Après tout, on n'a aucune nouvelle, on ne sait pas si nos enfants ont réussi à tempérer les choses ou si Interpol est à nos trousses. J'avoue que ce n'est pas désagréable, on se dit souvent qu'il y avait longtemps qu'on ne s'était pas sentis aussi vivants. Mais, tout de même, on a peur d'être découverts.

Il a inspiré un grand coup, puis nous a dévisagées avec appréhension :

— Vous allez nous dénoncer ?

Lily a froncé les sourcils.

— Je suis pas une fayote.

Diego s'est mis à rire, aussitôt imité par son acolyte. Ma sœur les a rejoints, elle s'en tenait les côtes. Sans que je m'y attende, ma voix s'est élevée avec les leurs, et on s'est esclaffés en chœur pendant de longues minutes.

Plus tard, quand on les a quittés, j'ai songé que, nous autres, humains, serions bien emmerdés si on n'était pas dotés du rire. On serait obligés de toujours afficher nos vraies émotions.

Anna

Les enfants sont couchés, même les plus grands. Le thème de la soirée est « Action ou vérité ». La plupart d'entre nous ont tenté de s'y dérober en inventant des occupations urgentissimes, mais l'enthousiasme de Julien les a transformées en occupations secondaires.

Les températures étant plus douces, nous nous sommes installés dehors, à l'écart des véhicules. La nuit ne tombera que très tard. Les genoux des plus frileux sont protégés de couvertures, des bougies brûlent et tous les verres, hormis celui de Marine, sont emplis d'aquavit, l'eau-de-vie locale. Je tangue rien qu'en la sentant.

Julien tourne la roue qu'il a fabriquée pour déterminer le sort de Françoise, elle s'arrête sur « action ». Il tire un des petits papiers sur lesquels nous avons inscrit gages et questions.

— Tu dois raconter une blague avec l'accent québécois.

Françoise prend le temps de la réflexion, arguant qu'elle ne connaît aucune histoire drôle, puis finit par se lancer.

— C'est un chat qui entre dans une pharmacie et qui dit « je voudrais du sirop pour ma toux ».

Elle lève le menton, manifestement fière d'elle. J'attends la suite, avant de comprendre qu'elle a terminé. Il me faut plusieurs secondes pour saisir. Je jette un œil autour de moi, l'incrédulité se lit sur tous les visages.

— Tu sais que ce n'était pas l'accent québécois ? demande François à sa femme.

— Je sais, mais je ne connais que l'accent marseillais ! Elle n'était pas drôle, ma blague ?

— Si, si ! assurons-nous tous en chœur.

Satisfaite, elle descend une rasade d'alcool et tourne la roue pour Greg.

— Vérité !

Elle tire un papier, Greg attend la question avec appréhension.

— Dévoile-nous ton dernier rêve.

— Ah ! fait-il, visiblement rassuré. C'était la nuit dernière, j'ai rêvé que je marchais dans une ruelle sombre, seul, les boutiques étaient fermées, il n'y avait pas une voiture, pas un avion, pas un oiseau. Je ne savais pas où j'allais et, tout à coup, une belle blonde est arrivée, elle était auréolée de lumière, elle m'a attrapé la main doucement, je l'ai suivie et je n'étais plus perdu. C'était toi, Marine, mon amour.

Marine s'esclaffe.

— C'est bon, mon cœur, tu peux dire la vérité ! Je ne me vexerai pas.

— Bon, d'accord. J'ai rêvé que je mangeais un hamburger sur un toboggan et qu'un lapin me prédisait qu'il allait pleuvoir.

Il tire un papier sans attendre nos réactions.

— Edgar, vérité ! Racontez-nous votre plus beau souvenir.

Le vieil homme inspire longuement, plonger dans sa mémoire semble lui être douloureux.

— Le plus beau moment de ma vie est ma rencontre avec ma Rosa. J'avais vingt-cinq ans. En allant travailler, je passais chaque matin devant l'école dans laquelle elle enseignait. Elle souriait constamment, de ce sourire qui vous réchauffe quand vous grelottez. J'ai mis trois mois à oser la saluer de loin, trois encore à oser engager la conversation. Je l'ai attendue un soir, à la sortie, avec un bouquet de roses et je lui ai offert de la raccompagner. Elle n'habitait pas loin, nous avons fait le chemin à pied. Arrivés chez elle, elle connaissait tout de moi et moi rien d'elle, je lui ai donc proposé de réitérer le lendemain. Je n'oublierai jamais son regard à l'instant où je me suis approché d'elle, les fleurs à la main. Jamais.

La tristesse s'abat sur la table. Diego pose la main sur l'épaule de son ami. Je chasse d'une gorgée d'alcool la boule qui se forme dans ma gorge.

— Edgar, à vous de tourner la roue ! glisse Julien.

Le vieil homme s'exécute, Marine doit effectuer une action.

— Citez dix titres de chansons en remplaçant un mot par un autre.

Elle ne réfléchit pas, je la soupçonne d'être celle qui a rédigé le gage. Un à un, en les comptant sur ses doigts, elle énumère les titres.

— Ma bite, ma bataille

J'irai au bout de ma bite

Donne-moi ta bite et prends la mienne

Allumer la bite

Bites, je vous aime

La petite bite en mousse

La bite du pianiste

Dur dur d'être une bite

Quand on n'a que la bite

Bite, lève-toi

Elle s'interrompt, un sourire fier aux lèvres. Diego tire sur sa pipe en silence, Edgar regarde ailleurs, Françoise a les sourcils qui touchent ses cheveux et son mari est écarlate. Greg est hilare, je ne peux m'empêcher de l'imiter.

Puis vient mon tour.

— Vérité ! lance Marine en dépliant le papier. Qui est la personne que tu trouves la plus attirante autour de la table ?

Je glousse, persuadée qu'elle me fait une farce. Mais non.

— Julien, réponds-je avant que mon courage ne prenne la fuite.

— Ah ! J'en étais sûre ! s'écrie Marine.

— Disons que le choix est limité. Edgar et Diego sont très gentils, mais la question porte sur l'attirance. François et Greg sont mariés, il ne restait que Julien.

Ledit Julien fait la moue. Je saisis ma maladresse :

— Oh, mais je ne voulais pas dire que tu ne m'attires pas, Julien ! J'expliquais juste pourquoi je t'avais choisi, ça ne veut pas dire que…

Je m'interromps, mes justifications aggravent mon cas. Une rasade d'aquavit fait taire ma culpabilité. Marine pleure de rire. Je tourne la roue.

Une heure plus tard, Edgar a imité Jacques Chirac, Greg a enfilé son caleçon sur son pantalon, Diego a raconté sa première fois, Françoise a joué une publicité pour un déodorant, François s'est ouvert le menton en tentant un saut périlleux, Marine a épluché une pomme avec les dents, j'ai avoué mon plus gros mensonge, Julien a fait le tour du parking en imitant l'ours affamé et de nombreuses autres actions et vérités ont défilé.

La bouteille est vide, nous sommes pleins. C'est au tour de Marine de raconter sa plus grosse honte.

— Bon, je vous la fais courte, je marchais dans la rue, tout le monde me regardait, je me suis dit que j'avais bien fait de mettre ma petite jupe à fleurs, je faisais un peu la belle, je marchais comme si j'étais une top model, sauf qu'au bout d'un moment la top model s'est rendu compte qu'elle avait sa jupe coincée dans la culotte et que l'on voyait son cul.

Tout le monde s'esclaffe en imaginant la scène, j'essaie de la réconforter :

— Ça arrive souvent d'avoir la jupe coincée dans la culotte…

— Ouais, rétorque-t-elle, mais est-ce que ça arrive souvent que des feuilles de papier-toilette se soient coincées aussi ? Et qu'elles volent derrière comme une traîne ?

Les rires redoublent, le mien éclate, j'en ai mal au ventre, et l'air faussement vexé de Marine, qui lutte pour ne pas se joindre à nous, n'arrange rien.

— Bon, à toi ! me lance-t-elle sans attendre que nous nous calmions. Action !

Elle pioche un papier et le lit :

— Tu dois embrasser ton voisin de droite sur la bouche.

Je tourne ma tête pour vérifier que mon voisin de droite est toujours le même que la minute précédente, évidemment c'est Julien. On redevient instantanément sérieux.

Je me penche vers lui sans réfléchir et lui fais une bise sur la joue.

— Sur la bouche ! articule difficilement Françoise.

Je ricane. Mes idées ressemblent à un tourniquet, mais un tourniquet qui a encore un peu de jugeote.

— Montre-moi le papier, Marine !

Elle fait mine de ne pas entendre.

— Marine !

— Quoi ?

— Fais voir le papier s'il te plaît.

— Quel papier ?

— Arrête. Tu as inventé la question.

— N'importe quoi.

— Tu sais que si tu mens pendant la grossesse, ton enfant fera plus de six kilos à la naissance ?

— N'importe quoi.

— C'est vrai, intervient Julien très sérieusement. Et il aura un nez en bois.

Je ne peux pas me retenir de rire, lui non plus. Edgar se lève encore plus lentement que d'habitude.

— Je me retire dans mes quartiers ! déclare-t-il entre deux hoquets.

— Mais Anna n'a pas fait son gage ! s'insurge Marine.

Je me lève à mon tour en lui adressant un grand sourire.

— Je vais me coucher aussi, bonne nuit tout le monde !

Julien m'imite, puis Françoise et François. Marine reste assise, les bras croisés. Je me penche vers elle et entoure son cou de mes bras.

— C'était bien tenté.

— J'y arriverai avant la fin du séjour, marmonne-t-elle.

— T'es vraiment adorable.

— Mouais. T'as de la chance que je te kiffe.

Je lui glisse quelques mots dans l'oreille, elle s'illumine et pousse un petit cri de joie. Je l'embrasse et me dirige vers mon camping-car. Le sol tangue. Un bras se glisse sous le mien. Julien.

— Je te raccompagne, il paraît qu'il y a des ours affamés, chuchote-t-il.

— T'as raison, il y a aussi des Québécois à l'accent marseillais.

Nous traversons l'aire en tentant de marcher droit, bras dessus, bras dessous, puis il retire le sien en arrivant devant ma porte.

— Bon, ben, bonne nuit, murmure-t-il.

— Bonne nuit, Julien.

Je cherche la clé dans la poche de mon manteau, il ne bouge pas. Je lève les yeux vers lui, il me dévisage d'un air grave. Sa main se pose délicatement sur ma joue et, du pouce, il la caresse. Je ferme les yeux. Lorsque je les rouvre, il me sourit, se retourne et s'éloigne vers son véhicule. Nous laissant là, moi, mon ivresse et mon désir.

Les chroniques de Chloé

Quand maman nous a annoncé qu'on allait prendre la route de l'Atlantique, je ne comprenais pas pourquoi elle avait l'air aussi excitée. Maintenant, je sais.

C'est une route longue de huit kilomètres qui enjambe l'océan en se reposant quelquefois sur de petites îles. On alterne donc ponts et récifs, avec une vue sur les vagues, les fjords et les montagnes. On roulait sur la mer. L'eau dansait autour de nous, les embruns éclaboussaient le pare-brise, maman conduisait lentement pour qu'on en profite au maximum, mais le maximum n'était pas suffisant. Arrivées au bout, on a fait demi-tour pour avoir double dose.

On en était au troisième passage quand le téléphone a sonné. C'était papa. J'ai répondu.

— Coucou, papa ! Tu devineras jamais où on est !

— Salut, ma puce, dis-moi tout, à ta voix ça a l'air bien !

Je lui ai décrit le paysage en direct, je lui donnais tous les détails, je voulais qu'il soit un peu avec nous.

Il soupirait d'envie. Je lui ai promis de lui envoyer plein de photos.

— C'est gentil, ma puce. Bon, ce n'est peut-être pas le bon moment, mais je t'appelais pour te dire quelque chose.

J'ai bouché mon oreille libre avec mon index pour mieux l'entendre.

— C'est quelque chose de grave ?

— Non, non, ne t'inquiète pas. C'est juste que...

Il a pris une longue inspiration. J'avais la trouille.

— C'est juste que, finalement, je ne vais pas demander votre garde.

— D'accord, j'ai répondu. Je crois que c'est mieux, surtout qu'on va pouvoir venir te voir souvent, maintenant que t'as une maison !

— C'est un peu compliqué...

— Comment ça ? Qu'est-ce qui est compliqué ? Tu ne nous prenais pas chez toi parce que c'était trop petit, maintenant tu peux, où est le problème ?

Je l'ai entendu renifler.

— Je suis désolée, ma puce, je voudrais tellement vous recevoir plusieurs fois par mois, en réalité je l'ai toujours voulu...

— Mais alors, pourquoi tu ne le fais pas ?

Ma voix était devenue aiguë.

— Parce que ta mère m'en empêche.

Il a chuchoté la dernière phrase, elle était presque inaudible, mais elle m'a lacéré le cœur. J'ai regardé maman, ses mains étaient crispées sur le volant.

— Pourquoi ? j'ai demandé.

— Je n'en ai aucune idée. Je me bats depuis des années pour vous voir, elle ne veut pas. Promets-moi de ne pas lui en parler, ma chérie, ça ne ferait qu'aggraver les choses. J'ai peur qu'elle m'empêche aussi de vous appeler.

— Je te laisse, papa, gros bisous.

— Promets-moi !

Je n'ai pas promis. J'ai raccroché en serrant les dents. Je fixais les vagues, j'avais envie qu'elles se déchaînent, qu'elles se fracassent contre les roches, qu'elles soient en phase avec ce que je ressentais. Maman était muette. J'ai essayé de l'être aussi, de ne pas trahir papa, mais je n'ai pas réussi. Ma voix l'a agressée.

— Pourquoi t'as fait ça ?

— Pourquoi j'ai fait quoi ?

— Pourquoi t'as empêché papa de nous voir ? Pourquoi tu ne veux pas qu'on aille chez lui ?

Elle a posé la main sur ma cuisse.

— Ma chérie, je…

— Mais putain, c'est vrai alors ? Il dit la vérité ?

Je hurlais. Ma vue se brouillait. J'attendais qu'elle me dise que c'était un malentendu, qu'il se trompait, qu'elle ne m'avait pas privée volontairement de mon père pendant toutes ces années, mais ce n'est pas ce qu'elle a dit.

— On va s'arrêter un peu plus loin, on va discuter de tout ça. Je n'ai jamais voulu te faire souffrir…

— Je m'en fous de tes explications ! Je te pardonnerai jamais ce que tu nous as fait !

Mes larmes jaillissaient, elles coulaient sur mes joues, dans mon cou, mais n'emportaient pas ma détresse. Lily a tourné la tête vers moi et a planté ses yeux dans les miens.

— Chloé, t'as oublié ? T'as vraiment oublié que papa frappait maman ?

Anna

La musique est à fond dans le camping-car. Les filles et moi chantons à tue-tête le répertoire de Francis Cabrel. À force de m'avoir entendue l'écouter quand elles étaient petites, elles connaissent ses paroles par cœur.

Nous nous apprêtons à emprunter la mythique route des Trolls. Nous avons fait un petit détour, mais il était impensable de la manquer. Au premier virage, nous coupons musique, voix et souffles.

La route est extrêmement étroite et à flanc de montagne, c'est étourdissant. À notre droite, un torrent furieux nous accompagne.

— Oh, regarde ! s'exclame Chloé.

J'ai perdu un tympan, mais ce n'est pas grave. Face à nous, semblant jaillir de la roche sombre, une immense cascade se jette dans le vide. C'est majestueux.

Chloé pose la tête sur mon épaule. Depuis notre discussion avant-hier, elle est plus tendre que jamais. Je ne suis pas entrée dans les détails, mais j'ai répondu à ses questions. Elle n'avait jamais rien soupçonné, elle est dévastée. L'image qu'elle se faisait de notre famille a volé en éclats. J'ai fait une erreur de garder le secret. Lily aussi a tenu à me montrer qu'elle était de mon côté, elle m'a offert une poignée de cailloux « tout doux », comme quand elle était petite. Je n'avais pas imaginé qu'elle puisse se souvenir de cette scène. Elle n'a pourtant rien oublié.

Les virages en épingle s'enchaînent, on ne sait où donner de la tête tant tout est magnifique. À notre droite, la fierté de la roche acérée, à notre gauche, le vide et, tout en bas, la vallée verdoyante.

Nous passons deux puissantes cascades qui dévalent la montagne à quelques mètres de nous. La troisième nous laisse béates. L'eau déferle, elle bondit de rocher en rocher, elle chute, elle s'abîme dans le vide, crachant sur son passage des nuages d'écume dans un fracas assourdissant. C'est tellement beau que j'ai envie de pleurer.

— Je vous aime, lâche Chloé.

— Moi aussi, je vous aime, réponds-je.

— Pareil, dit Lily.

Là, pile à cet instant précis, une bouffée de bonheur m'envahit. Nous sommes face à un spectacle exceptionnel, dans un endroit magique, nous allons bien, nous sommes ensemble. Qu'est-ce que j'ai bien fait de percer ma bulle.

Lily

5 juin

Cher Marcel,

Tu vas bien ? Moi, ça va, sauf que j'ai mangé du saucisson au renne parce que je croyais que c'était du saucisson aux reines. C'est de la publicité mensongère, quand j'ai découvert le poteau rose j'ai failli vomir.

On a visité la stavkirke d'Urnes, c'est une église en bois debout. Je vois que toi non plus tu ne comprends pas trop ce que ça veut dire, ça me rassure. Figure-toi que tout le monde a rigolé parce que j'ai demandé si le bois s'asseyait quand il était fatigué. Donc, pour ta gouvernante, sache qu'on les appelle comme ça parce qu'ils ont utilisé des piliers pour monter les murs, la nef et le toit. Tu vois, t'en apprends des choses avec moi, hein ! Bref, on l'a visitée, c'est la plus vieille de Norvège, elle est encore plus vieille que mémé, alors je l'ai vouvoyée. Elle était vraiment très belle pour son âge, même si dedans c'était petit, mais je suis vite sortie parce que Noé préférait rester dehors.

On s'est assis dans l'herbe, on regardait le fjord, on disait rien, y avait pas besoin. Je l'aime beaucoup, Noé, tu sais. À part ma famille, c'est la première fois que j'aime autant quelqu'un qui n'est pas un animal. Il ne ment pas, est gentil, et je trouve qu'il est marrant. L'autre fois, il faisait des drôles de bruits, j'ai rigolé et il a continué, je suis sûre qu'il faisait exprès pour m'entendre rire.

Ma mère ne parlait pas beaucoup à Julien, elle restait avec Chloé parce que ma sœur était triste. Elle ne voulait pas dire pourquoi, mais finalement elle n'a pas pu s'empêcher, parce que la douleur ça fait plus mal en dedans qu'en dehors. En fait, elle a appris sur Facebook que son amoureux Kevin avait une nouvelle copine, alors je te dis pas. Depuis, elle essaie de ne pas y penser, mais je vois bien que ça ne marche pas, sinon elle passerait pas son temps à dire que personne ne l'aimera jamais, qu'elle est nulle, moche, conne et qu'elle finira toute seule.

En plus, apprendre ce que mon père faisait à ma mère ne l'a pas arrangée, elle est persuadée que tous les hommes ne servent qu'à la faire souffrir. Peut-être que j'aurais pas dû lui raconter, mais ça fait des années que je l'entends répéter que tout est la faute de ma mère, le pauvre papa, bla-bla-bla, alors j'ai mis un bras d'honneur à rétablir la vérité.

Apparemment, ma mère croyait que j'avais oublié parce que j'étais très petite, mais quand tu vois ta mère avec du sang partout sur la tête, je peux te dire que tu l'oublies pas. J'ai pas beaucoup revu mon père depuis, mais, chaque fois, il essayait de savoir si je m'en souvenais. Il devait trouver ça bizarre que je sois pas gentille comme Chloé. Faut pas croire, j'ai peut-être pas l'air comme ça, mais on me la fait pas.

Quand on est reparties de l'église, sur le bateau, Chloé s'est mise à pleurer. Je sais pas trop quoi faire quand ça arrive, alors j'ai rien fait, mais quand on est revenues dans le camping-car, je t'ai sorti de sous l'oreiller, je t'ai ouvert à la date du 1er mai et je lui ai fait lire.

T'as vu, Marcel, peut-être que pendant ce voyage je ne progresserai pas en maths, mais en sœuritude, si.

Veuille agréer mes salutations distinguées.

Lily
P-S : j'ai un poil à l'aisselle gauche.

Les chroniques de Chloé

Lily m'a fait lire une page de son journal, mais je n'ai pas tout compris, elle s'adresse à un certain Marcel.

Voici ce qu'elle avait écrit le 1er mai.

Cher Marcel,

Il faut que je te parle de ma sœur, Chloé. Enfin je t'ai déjà parlé d'elle, mais là encore plus.

Ma sœur, c'est la personne que je connais depuis le plus longtemps, juste après ma mère et mon père, autant te dire que ça fait belle levrette qu'on se supporte. C'est pour ça qu'on se dispute souvent, et aussi parce qu'elle est chiante. Elle râle, elle pleure, elle crie, elle bloque la salle de bains pendant une heure le matin, elle me prend pour une idiote et elle ne veut jamais jouer à faire semblant de parler anglais couramment. Mais quand même, j'aurais pu être la sœur d'une tueuse en série ou d'une prof de maths, alors je ne me plains pas trop.

Elle a plein de qualités, et pas que son physique.

Elle joue bien la comédie : tu l'aurais vue hier, quand elle a annoncé à ma mère qu'elle était enceinte, j'étais à deux doigts de la main de lui donner un Jules César.

Elle est gentille : elle fait semblant de ne pas voir les factures que ma mère cache dans son placard (comme moi) et elle vient toujours vérifier si je vais bien avant d'aller se coucher.

Elle est intelligente : elle a gagné un concours d'écriture l'année dernière et elle ramène toujours des bonnes notes du lycée. En plus, elle sait réciter l'alphabet en rotant.

Elle est généreuse : un jour, elle m'a donné une frite.

Je sais pas comment elle fait pour ne pas voir tout ça, parce que moi je le vois plus que ses yeux ou ses cheveux. Tu sais, quand j'en ai marre d'être bizarre, comme ils disent au collège, j'aimerais bien être comme elle. Mais si tu le répètes, je serai obligée de te jeter au feu.

Bisous Marcel
Lily
P-S : Mathias t'envoie le bonjour.

J'ai pris une photo de la page, j'ai eu peur de ne pas y croire en y repensant. Lily m'a rejointe sur le lit.

— Je ne savais pas que tu pensais ça de moi, j'ai dit.

— J'avais demandé à Marcel de ne pas te le dire, le petit fayot.

J'ai souri. Elle n'a plus parlé, mais le message était passé. Cette page, c'était le « je t'aime » qu'elle ne savait pas prononcer.

J'ai repensé aux poèmes de Louis, naïfs, simples, usurpés, mais désarmants de sincérité. Des lettres anonymes, qui n'attendaient aucun retour.

Un garçon de neuf ans et une fille de douze venaient de me donner une leçon. On peut m'aimer sans contrepartie.

Anna

Quand Marine a frappé à la porte du camping-car ce matin, j'ai immédiatement compris. Elle avait les yeux rouges et les mains posées sur son ventre.

— Vous partez ?

Elle n'a pas pu répondre. Elle a hoché la tête et fondu en larmes. Je l'ai invitée à entrer.

— D'accord, mais vite fait, a-t-elle reniflé, il faut que j'aide Greg à tout ranger. On veut pas prendre la route trop tard. On se reverra ?

Les filles sont sorties de leur lit, Lily avait ses sourcils de pas contente.

— Bien sûr qu'on se reverra ! Toulouse et Biarritz, ce n'est pas si loin !

— Pourquoi vous ne finissez pas le voyage ? a voulu savoir Chloé.

— J'ai mis du temps à me faire à l'idée d'avoir un bébé, mais, maintenant, je suis prête. J'ai envie de rentrer pour l'annoncer à tout le monde et m'occuper de tout.

Marine a serré mes filles dans ses bras.

— Ce que vous allez me manquer !

Je me suis jointe à elles en luttant pour ne pas pleurer.

— C'était vraiment bon de vous rencontrer, ai-je murmuré, et j'ai senti la main de Marine presser mon bras.

Juste avant leur départ, nous sommes allées leur faire nos adieux. Tout le groupe était réuni devant leur camping-car. Le ciel faisait la gueule, c'était cohérent.

Ils ont mis du temps à démarrer. Les embrassades s'éternisaient, les promesses s'enchaînaient, les souvenirs jaillissaient. Ça sentait la fin.

J'avais l'impression de dire au revoir à de vieux amis. Sans eux, ce ne serait plus pareil. Lily a lâché que les meilleurs partaient en premier, Françoise a fait semblant de s'offusquer, tout le monde a ri. Le rire est la meilleure doublure des larmes.

Finalement, leur véhicule s'est éloigné. À la place, il y avait un vide immense. Je suis retournée dans notre camping-car afin de garder mon petit moral pour moi. À peine étais-je entrée que mon téléphone annonçait un nouveau message. C'était Marine.

« J'ai oublié : plein de bonheur avec Julien ! »

Elle me manquait déjà.

La journée s'est poursuivie avec la visite de Bergen. Lily a adoré le quartier de Bryggen, avec ses maisons colorées accolées les unes aux autres et ses ruelles dont le sol est en bois, elle a même décrété qu'il faudrait recouvrir toutes les routes de bois, ça ferait moins mal quand on tombe de vélo. Chloé n'a cessé de s'extasier lorsque nous avons pris le funiculaire jusqu'au sommet d'une colline nous offrant une vue superbe sur la ville, cette enfant est née pour voyager. Nous avons fait halte au marché aux poissons, où nous avons acheté nos sandwichs pour le déjeuner. J'ai bien cru que Lily allait pleurer quand elle a vu qu'on pouvait les garnir de baleine.

Les filles se sont endormies tôt, je n'y arrive pas. Je pense à Marine, à Greg, à ces personnes que l'on rencontre et qui ont plus d'impact sur notre vie que celles qui la partagent. Je pense à ces chemins qui se croisent, à ceux qui se décroisent. À mes filles qui partiront un jour. Bientôt. J'ai besoin d'air.

J'attrape le téléphone et pianote le message. La réponse arrive instantanément. Lui non plus n'arrivait pas à dormir.

J'enfile mon manteau et mes bottes et je sors discrètement. Julien est déjà dehors, son pyjama dépasse de son jean.

— C'est quoi l'urgence ? demande-t-il.

— Un coup de cafard.

Il sourit :

— On marche un peu ?

— D'accord.

La route n'est pas éclairée, mais le jour joue les prolongations.

— Qu'est-ce qui te tracasse ?

— Voir mes filles grandir. Je sais que c'est bête, on n'y peut rien, mais, chaque fois que je repense à elles petites, j'ai envie de pleurer. C'est passé si vite…

— Je comprends, c'est vrai que le temps file. J'ai l'impression que Noé est né hier.

— C'est ça. J'ai le sentiment de ne pas en avoir profité et déjà, demain elles quitteront la maison. Je n'arrive pas à m'y faire.

Au moment où ces mots sortent de ma bouche, je prends conscience de la situation.

— Oh, pardon, Julien, je suis désolée ! C'est tellement maladroit de me plaindre de mes filles qui deviennent autonomes…

— C'est vrai que j'ai plutôt l'inquiétude inverse, mon fils ne le sera sans doute jamais, il ne quittera pas la maison et ça m'empêche aussi de dormir. Mais je peux quand même te comprendre ! Je suis nostalgique aussi des mois où il tenait dans mes bras sans me marcher sur les pieds.

Je souris.

— Quand Lily avait cinq ans, sa maîtresse nous a annoncé qu'elle était autiste. Elle n'échangeait pas avec ses camarades, ne parlait presque pas, jouait avec des cailloux et détestait qu'on la touche. J'ai eu très peur, mais, au bout de plusieurs mois, les spécialistes ont écarté le trouble. Avec le recul, je crois que j'avais surtout peur qu'elle soit rejetée, mais aussi, j'en ai honte, qu'elle ne soit pas une petite fille dans la norme.

— Tu sais, ce n'est pas si terrible. Au contraire. Quand on a reçu le diagnostic, pour Noé, mon monde s'est effondré. Il m'a fallu du temps pour accepter que mon enfant ne serait pas comme les autres. On a peur de la différence, alors on la rejette. Finalement, c'est lui qui m'a montré la voie. Il se fout des moqueries, il est imperméable à la méchanceté. Il ne souffre pas, je crois même qu'il est heureux. Alors oui, je ne pourrai peut-être jamais lui apprendre à construire des vaisseaux en Lego ou rencontrer sa petite amie, mais il est fou d'amour pour sa toupie, il adore regarder le parcours de la lune dans le ciel, il se passionne pour les éclairs. Il m'a appris beaucoup de choses.

Nous continuons à marcher en silence. Je mâchouille mon ignorance, je digère mes préjugés, moi aussi je pourrais dire que Noé m'a beaucoup appris. Le bonheur de mes filles doit être la seule chose qui compte.

Je propose de faire demi-tour, nous nous sommes beaucoup éloignés.

Julien ne répond pas. Il se poste face à moi et me regarde avec intensité. Son visage est à quelques centimètres du mien. Il pose la main sur ma joue, son pouce caresse mes lèvres. Ses yeux sont brillants de désir. Il approche, je sens son souffle chaud sur ma peau. Sa main glisse vers ma nuque et s'insinue dans mes cheveux. Je frissonne. Il m'attire vers lui, et je ferme les yeux quand sa bouche trouve la mienne.

Les chroniques de Chloé

Papa n'arrêtait pas de téléphoner, je ne répondais pas. Il a envoyé un SMS pour dire qu'il s'inquiétait, qu'il fallait qu'on lui donne un signe de vie. Je l'ai rappelé, et il a vu que j'étais bien en vie.

— Je n'ai pas envie de te parler pour le moment. J'ai besoin de temps, faut que je digère.

Il a d'abord nié. C'était faux, il était incapable de lever la main sur qui que ce soit, il n'arrivait même pas à écraser une araignée, alors ça… C'était maman qui mentait, elle avait trouvé un nouveau moyen de nous séparer. Il s'est mis à pleurer, il a arrêté quand je lui ai dévoilé que Lily se souvenait parfaitement de ses menaces.

— Ce n'est pas arrivé souvent, il a soufflé.

— Pas souvent, c'est déjà trop. Et tu as tué Brownie ! Tu me dégoûtes.

Il a promis qu'il avait changé, que ce n'était plus le même homme, qu'il s'était rendu compte de ses erreurs. Sa voix tremblait. Pas la mienne, mais mon cœur oui. J'avais envie de lui faire un câlin et de lui cracher dessus. Je lui en voulais et je le plaignais. J'ai raccroché en lui demandant de ne plus m'appeler, je le ferais quand je serais prête. Il m'a répété qu'il m'aimait. J'ai répondu moi aussi, mais pas à voix haute.

Maman a bien voulu que je me promène seule dans Bergen. J'ai choisi de prendre le bus, l'aire des camping-cars se trouve à une demi-heure à pied et je n'avais pas envie de marcher. À l'arrêt, il y avait Louise. Je me suis dit que, une demi-heure, ce n'était pas si long, finalement. Depuis notre fou rire à cause de sa moustache, on s'entend mieux, mais pas au point de passer la journée ensemble. Le problème, c'est qu'elle m'a vue et qu'elle a proposé de me suivre. On a donc fait le chemin ensemble, et le reste aussi.

On s'est posées au Byparken, c'est un grand parc plein de fleurs et de bancs, on a taxé des cigarettes à un groupe de jeunes. Il y en avait un qui n'arrêtait pas de me regarder, ça m'a fait plaisir.

— T'as un mec ? elle m'a demandé quand on s'est assises.

— J'en avais un, mais c'est fini.

— Merde. Fini genre fini, fini ?

— Ouais. Il s'est affiché sur Facebook avec une meuf.

— Outch.

— Ouais. Et toi, t'as un mec ?

— Oui, depuis trois ans, on va se marier l'année prochaine.

— Félicitations ! Mais je ne suis pas étonnée.

Elle a haussé les sourcils en recrachant sa fumée.

— Ah bon ? Pourquoi ?

— Je sais pas, on voit que t'es une fille sérieuse, qui réussit dans tous les domaines.

Elle a ricané, puis elle a retroussé la manche de son manteau.

— Je réussis tellement bien que je me suis loupée.

Une cicatrice fraîche barrait l'intérieur de son poignet. J'ai jeté ma cigarette.

— Pourquoi t'as fait ça ?

— Parce que je me sentais mal, j'avais l'impression d'être au fond d'un gouffre et que je n'arriverais jamais à m'en sortir. Le pire, c'est que je culpabilisais parce que tout allait bien autour de moi : j'avais un copain adorable, des parents en or, de bonnes notes, mais je sais pas, je me sentais vide. Genre plus rien n'avait d'intérêt. C'était comme si j'étais enfermée à l'écart des autres, seule. Je crois que je ne voulais pas vraiment mourir, enfin, je ne me rendais pas compte. Je voulais juste que ma tristesse s'arrête.

— J'imagine que tes parents n'ont rien vu, ils ont l'air de beaucoup travailler...

— Tu rigoles ? Ils bossent beaucoup, mais ils sont super présents ! Quand j'ai fait ma connerie, ils ont tout lâché pour nous emmener faire ce road trip, ils savaient que je rêvais de voir les aurores boréales. Ils sont persuadés que la nature peut m'aider, que le fric qu'on a m'a caché le sens de la vie.

— Tu leur diras que moi, c'est le manque de fric qui me le cache.

Elle a ri, moi aussi. Nos vies sont aux antipodes l'une de l'autre, l'argent n'est pas un problème pour elle, elle se sent importante pour ses deux parents, elle a quelqu'un qui l'aime, pourtant ses mots pourraient être les miens. Enfermée. Vide. Seule.

On est rentrées juste avant le dîner, en bus. Tout le trajet, je me suis posé des questions. Quand j'ai ouvert la porte du camping-car, maman m'a souri, Lily m'a sauté dessus en disant qu'il fallait qu'elle me raconte quelque chose.

Peut-être que je ne suis pas vraiment seule.

Peut-être que c'est juste un ressenti.

Peut-être qu'il est temps que je fasse une prise de ju-jitsu à ce ressenti.

Lily

Morn Marcel,

Hvordan har du det ? (ça veut dire Salut Marcel, comment vas-tu en norvégien) (maintenant je sais dire quelques mots d'allemand, de danois, suédois et norvégien) (je suis polygame).

Moi, ça va, même si je suis un peu triste quand même. Le voyage sera bientôt fini, il nous reste juste trois jours et on quittera la Norvège. Tu te souviens comment je pensais que ma mère avait perdu la boule quand on est parties ? Maintenant, j'aimerais bien que ça dure encore un peu, c'est passé trop vite. On devrait pouvoir revivre nos moments préférés. Mais bon, ça sert à rien de chouiner, c'est pas moi qui tiens le sablier.

On a passé la nuit près des chutes de Langfossen, que ma mère voulait vraiment voir parce que c'est une des plus belles cascades du monde. C'est vrai que c'était beau, elle était très très très très très haute et elle se jetait dans le fjord. Toute cette eau qui coulait, on aurait dit ma sœur quand elle pleure.

Comme il faisait beau et qu'on allait bientôt se quitter, Julien a proposé qu'on dorme tous ensemble, dehors dans des duvets, il avait des tapis en mousse. Tout le monde a dit oui, sauf les papys parce que leurs os sont plus fragiles que le sol, du coup on s'est installés près de leur camping-car pour qu'ils soient un peu avec nous quand même. C'était la première fois que je dormais à la belle Hélène, tu sais ?

J'étais entre Noé et ma mère, qui était à côté de Louise, qui était à côté de son frère. Avec Noé, on regardait le ciel, c'était la nuit mais pas tout à fait, les étoiles n'étaient pas allumées parce que le soleil n'était pas éteint. Julien, qui était couché à côté de son fils, n'arrêtait pas de raconter des blagues et tous les grands rigolaient. Après, ils se sont mis à dire des histoires qui font peur, je faisais la crâneuse, mais j'étais pas rassurée. Françoise a raconté qu'une vieille dame l'avait suivie dans la rue, jusqu'à chez elle, en l'appelant « Michèle », et, quand elle a fermé les volets, la dame la regardait depuis le jardin. Pile au moment où elle racontait ça, on a entendu des craquements pas loin, mon sang n'a fait qu'un tour dans mon sac, je te dis pas. Après j'ai arrêté de les écouter, j'ai pris la main de Noé et je lui ai chuchoté des chansons, je crois qu'il a bien aimé.

On n'a pas beaucoup dormi et, le matin, personne n'avait bougé, sauf ma mère qui était allée à côté de Julien parce qu'il avait un oreiller.

Tu sais, Marcel, je vais pas te dire que maintenant j'aime les gens, mais quand même, eux, je voudrais bien dormir avec eux toutes les nuits.

Bisous

Lily

P-S : on a fait un concours de toucher du nez avec la langue avec Edgar, j'ai failli gagner, mais il a enlevé son dentier.

Anna

Sur le papier, l'idée me paraissait bonne. Une petite marche pour atteindre un point de vue inégalable était acceptable, voire tentant. Tout le monde me l'avait assuré : si je ratais Preikestolen, cette falaise qui domine le Lysefjord à plus de six cents mètres, je ratais mon voyage.

Tout le monde me l'avait assuré aussi : l'ascension était facile, à la portée du premier venu.

Manifestement, je ne suis pas la première venue. Au bout de dix minutes, j'ai déjà envie qu'on m'apporte de nouveaux poumons.

Les filles, elles, avancent comme si c'était plat, c'est limite si elles ne sifflotent pas. Noé court presque. Et je ne parle pas de Louis, qui se prend pour un lévrier.

Alors oui, les lacs, les cascades et les forêts que l'on croise ont l'air jolis. Mais, vu que Julien a décrété que c'était préférable de faire l'ascension de nuit pour éviter la foule et admirer le lever du soleil, je ne peux que l'imaginer. Il ne fait pas totalement noir et nous sommes équipés de lampes frontales, mais tout ce que je vois, ce sont les rochers que je foule.

Au bout d'une demi-heure, Françoise demande à faire une pause. J'ai envie de l'embrasser. François propose que nous attendions un peu.

Je n'ai jamais été très sportive. Mon travail était physique, il n'était pas rare que je rentre chez moi avec des courbatures après un gros service. À vingt-cinq ans, ce n'était pas un problème, mais je ne les ai plus. Les derniers mois au restaurant, je sentais mon endurance vaciller. Je m'essoufflais, j'avais régulièrement des entorses. On doit avoir un capital forme, et j'ai atteint la réserve.

— Ça va ? s'inquiète Julien.

— Ça va, réponds-je, hors d'haleine. Preikestolen a intérêt à mériter sa réputation, sinon je lui casse la gueule.

Il me tend une gourde en riant.

— Tu verras, ça vaut vraiment le coup. On y est presque.

Presque.

Julien est un menteur. J'ai eu largement le temps de me tordre dix-huit fois la cheville, de tomber deux fois, de croire ma fin proche un million de fois et d'avoir envie de pousser Louis dans le vide trop de fois. Les sentiers escarpés succèdent aux monticules de pierres, ça monte, ça ne fait que monter, je ne sens plus mes cuisses, mes mollets, mes fesses, je ne sens plus que mon regret de m'être levée à une heure du matin pour ça.

— Tu veux de l'aide, maman ? me propose Chloé.

— Non, pourquoi ?

— Je sais pas, t'as l'air fatiguée.

— Pas du tout, je suis en pleine forme.

311

Je suis en pleine forme pour quelqu'un en train de mourir.

Dix minutes plus tard, c'est Lily qui ralentit pour se retrouver à ma hauteur. Je m'attends à ce qu'elle me demande si j'ai besoin d'un massage cardiaque, mais non.

— Maman, tu peux porter mon sac ? Il me fait mal aux épaules.

Ma fibre maternelle me devançant, j'accepte et le saisis.

— Mais il est lourd ! Qu'est-ce que t'as mis dedans ?

— J'ai trouvé plein de jolis cailloux, réplique-t-elle en me distançant d'un pas vif.

Trois heures.

Après trois heures d'efforts qui devraient me valoir un titre olympique (ou une amputation), nous apercevons la fameuse falaise. Preikestolen signi-fie « la chaire », car le sommet du rocher est plat, comme une terrasse. Encore quelques pas et nous là foulons.

Le ciel est plus clair qu'à notre départ, il est d'un bleu profond qui n'est pas sans rappeler les yeux de Chloé. Deux hommes ont dormi là dans des tentes. Je laisse tomber mes deux sacs à dos au sol, puis moi, les bras en croix. Au-dessus, quelques nuages dansent lentement. Chloé s'assoit à mes côtés.

— Maman, lève-toi, regarde comme c'est beau !

Je me redresse au moment où les premiers rayons transpercent l'horizon.

— Lily, tu viens avec nous ?

Elle glisse quelques mots à l'oreille de Noé et nous rejoint.

Lentement, le soleil émerge de sa cachette derrière les lointaines montagnes. Le ciel brûle, le paysage se couvre d'or. En contrebas, le fjord s'éveille. Les bateaux sont minuscules, les arbres microscopiques, le vent claque nos joues. C'est magnifique. Il paraît que gravir Preikestolen change la vie. Que c'est une expérience bouleversante, inoubliable.

Je reste là un moment, la tête de Chloé sur mon épaule, la main de Lily dans ma main, et l'émotion me gagne.

Mes filles.

Mes bébés.

Mes Preikestolen.

Anna

— Vous voyez, les filles, ce road trip était une métaphore de la vie.

— C'est quoi, une métaphore ? interroge Lily.

— C'est comme une comparaison, une image, répond Chloé. Pourquoi c'est une métaphore, maman ?

— Parce qu'il y a eu le cambriolage, la panne, les attaques de panique, les disputes, les révélations sur votre père, le froid, la fatigue, la peur, mais, à la fin, il nous restera uniquement l'aurore boréale, le bain dans le lac gelé, le soleil de minuit, la fausse grossesse, les cascades, les façades colorées, nos fous rires, la soirée karaoké, la toupie de Noé, les nuits à trois, les chansons à tue-tête dans le camping-car.

Les filles demeurent silencieuses un instant. Chloé passe les bras autour de mon cou et écrase une bise sur ma joue. Lily sourit.

— T'as raison, maman, c'est un beau photophore.

Anna

C'est notre dernière nuit avant la traversée en ferry qui nous ramènera au Danemark, puis en France. Nous nous sommes couchés tard, après une soirée tous ensemble à convoquer les souvenirs. Lily et Chloé discutaient dans le lit, j'ai cru qu'elles n'allaient jamais s'endormir. C'est que j'ai rendez-vous.

Tout doucement, en surveillant leur respiration, je m'extirpe de mon lit, me couvre et quitte le camping-car. Julien n'est pas encore là. Je l'attends en souriant béatement, j'ai l'impression d'avoir l'âge de mes filles.

Quand il arrive, chargé d'un grand sac, sur la pointe des pieds, c'est comme si je faisais le mur avec mon amoureux.

Nous décidons de ne pas trop nous éloigner, afin d'entendre les enfants si besoin. Nous trouvons un emplacement dégagé à quelques mètres de nos véhicules et, quelques minutes plus tard, notre tente est prête, garnie d'un immense sac de couchage, d'une bouteille de vin et de chocolats. Il a même pensé aux oreillers, pour épargner nos cervicales plus toutes jeunes.

Je ne sais pas ce qui m'excite le plus. Le fait de se cacher, le fait d'être loin de mon quotidien ou Julien. Après un seul chocolat, nous nous sautons dessus avec avidité, nos vêtements volent, ses mains pétrissent mon corps, sa langue me dévore, nos peaux se caressent, je me sens belle, je me colle contre lui et je gémis dans son cou quand il glisse en moi.

— C'était magique, me souffle Julien en caressant mon dos.

— Oh oui, réponds-je, essoufflée, extatique, le visage écrasé contre le tissu de la tente, un caillou dans les côtes.

Nous passons la nuit à discuter, à rire, à faire l'amour. Je me blottis dans ses bras, je me gave de sa tendresse, de sa voix douce, je me repais de lui avant de partir.

— Il faut y aller, me souffle-t-il en me serrant fort. Noé ne va pas tarder à se réveiller.

Je plonge mon visage dans son cou et déborde de quelques secondes, puis je déplie mes membres endoloris lentement.

— J'étais heureux de faire ce voyage avec toi, murmure-t-il en se redressant à son tour.

Je caresse sa joue en silence. Une caresse qui veut dire moi aussi, mais j'ai la gorge trop nouée pour parler. Une caresse qui veut dire c'était vraiment bien. Une caresse qui veut dire à bientôt.

Les chroniques de Chloé

C'était dur de les quitter à Kristiansand. On devait prendre le ferry tous ensemble pour rejoindre le Danemark et rentrer chez nous, mais, au dernier moment, maman a annoncé qu'elle voulait nous emmener, Lily et moi, à Oslo, à plus de quatre heures de là. Nos chemins se séparaient ici. Je ne m'étais pas préparée.

J'aime le début des relations. Rencontrer des gens, apprendre à les découvrir, me dévoiler.

Je n'aime pas la fin des relations. Dire adieu, ne plus se voir alors qu'on a cheminé ensemble.

J'ai fait une grosse bise à Diego et je l'ai remercié pour ses conseils. Il ignore à quel point ils m'ont secouée. Si j'avais eu un arrière-grand-père, j'aurais aimé que ce soit lui. Je ne l'oublierai jamais. Edgar avait l'air fatigué. Je leur ai fait la promesse de leur écrire. Je sais que je ne la tiendrai pas, alors je leur ai refait la bise.

Françoise et François m'ont confié que j'avais fait beaucoup de bien à leur fille, que j'étais une jeune femme épatante. J'ai essayé de ne pas le montrer, les jeunes femmes épatantes ne pleurent pas, mais j'étais émue.

Louise attendait son tour, un peu en retrait. Elle se contenait, mais ses yeux étaient profondément tristes. Elle m'a fait deux bises, puis, la voix chevrotante, elle a ajouté :

— C'était chouette de te rencontrer, pétasse.

Je l'ai serrée dans mes bras et je l'ai ajoutée à mes amis sur Facebook.

Louis m'a tendu une enveloppe. Je ne l'ai pas ouverte devant lui, mais je savais ce qu'elle contenait. Je lui ai embrassé le front et lui ai chuchoté « Merci, petit poète ». Il est devenu tout rouge et il a gloussé.

J'ai avancé vers Julien et Noé, ils faisaient leurs adieux à maman et Lily.

Lily a chuchoté des mots à l'oreille de Noé, puis elle lui a collé une bise sur la joue et elle s'est éloignée brusquement vers le reste du groupe.

Maman essayait de sourire. Je n'entendais pas ce que Julien lui disait, mais je n'ai pas loupé leurs mains qui se frôlaient. L'homme qui murmure à l'oreille des camping-cars m'a promis qu'on se reverrait vite, ils n'habitent pas loin de chez nous et Lily compte aller jouer avec Noé. Je n'ai pas osé lui faire un câlin, alors j'ai juste dit que c'était bien, et je les ai laissés seuls en pensant que ses chemises de bûcheron allaient me manquer.

Ils nous ont tous fait de grands signes de main quand notre camping-car a pris la route pour Oslo. Maman a fondu en larmes. Lily aussi. Moi aussi.

Anna

Je n'avais pas envie de rentrer. J'avais envie de faire demi-tour, de remonter au cap Nord, de recommencer la route, mais l'enveloppe est presque vide. Nous allons devoir enlever le déguisement et remettre l'uniforme.

Chloé essayait de nous consoler en affirmant qu'on ne devrait pas être tristes, mais heureuses d'avoir vécu ces moments. Lily a rétorqué que la vie était une grosse radine de passer si vite. Je n'ai pas répondu, sur le fond Chloé avait raison, j'essayais d'être légère, mais la nostalgie appuyait sur mes épaules. Nous connaîtrons de nombreux autres moments heureux, toutes les trois, je n'en doute pas. Mais ceux-là, ceux que je viens de partager avec la Chloé de dix-sept ans et la Lily de douze ans n'existeront plus. Ils sont uniques, différents des précédents, différents des prochains. Désormais, ce ne sont plus que des souvenirs. À plusieurs reprises, j'ai essayé de mettre sur pause, mais cela n'a pas fonctionné. Je ne serai jamais rassasiée d'elles.

Afin de nous offrir une prolongation de deux jours, j'ai repensé à un article que j'avais lu à propos d'un parc à Oslo.

Après avoir roulé quatre heures en égrenant les souvenirs, nous sommes arrivées à Oslo en début d'après-midi. Une heure de plus a été nécessaire pour trouver un endroit où stationner.

— C'était mieux quand Julien était là, a lâché Chloé.

Je me suis retenue d'approuver avec conviction.

— C'est ça, le Vigelandsparken ? interroge Lily alors que nous passons la grille.

— C'est bien ça.

Nous suivons le chemin en effectuant des pauses pour admirer les œuvres. Le parc est parsemé de sculptures de Gustav Vigeland, qui ont pour point commun de représenter des femmes, des hommes et des enfants de très grande taille, tous nus.

— C'est fou, on dirait des vrais ! s'étonne Chloé.

Elle a raison. Les visages sont expressifs, les corps sont réalistes. Ce sont des scènes de vie, tantôt drôles, tantôt poignantes, comme ce vieil homme qui tient sa femme affaiblie dans ses bras, ce couple qui accueille son petit, cette femme qui en console une autre, la main posée sur sa tête, cet enfant en colère, ces deux vieilles dames, dont l'une pose la main sur sa bouche, comme si elle avait oublié quelque chose, ces trois humains qui forment la roue de la vie. Une émotion se dégage de chaque œuvre, mais Lily, Chloé et moi sommes happées par les mêmes.

Une mère qui brandit son bébé à bout de bras, la joie éclairant son visage. Une mère qui console son enfant qui pleure, les mains devant la figure. Et surtout, surtout, cette mère qui marche, ses longs cheveux volant derrière elle, serrant le torse de son enfant contre son visage, le bambin entourant le cou de sa mère de ses bras et reposant sa tête sur la sienne. Nous nous arrêtons net en la découvrant. Elles ne disent rien, mais je crois que nous ressentons la même chose. La force de cette femme, son angoisse, l'amour pour son petit, ce lien indéfectible, quoi qu'il arrive. Le lien entre une mère et son enfant, entre celle qui l'aimera le plus et celui qui sera son plus grand amour.

Nous rentrons tard, après avoir mangé du hareng fumé sur le port d'Oslo et déambulé dans les rues animées en cherchant une gaieté qui ne venait pas. Le ciel s'est assorti à notre humeur, il nous crache dessus, nous poussant à accélérer le pas. Lorsque nous regagnons le camping-car, nous sommes trempées. Nous avons à peine le temps de nous changer qu'un violent orage éclate.

— J'ai peur, souffle Chloé, qui se cache sous la couette.

— Il n'y a pas de raison, ça va aller, lui dis-je, en espérant être crédible.

Nous nous blottissons toutes les trois dans le lit. Je n'entends pas le tonnerre qui gronde et la pluie qui cogne le toit, je ne vois pas les éclairs. Je sens les pieds de Lily qui remuent, le souffle de Chloé dans mon cou, je sens la vanille dans leurs cheveux, je sens leur chaleur contre moi, mes bras s'engourdir sous leur poids et mon cœur se gorger de bonheur.

Je crois que ça y est, nous les avons rallumées, les étoiles.

Les chroniques de Chloé

On s'est levées tôt, on avait prévu de poursuivre la visite d'Oslo. On n'avait pas beaucoup dormi, l'orage a duré longtemps.

— Maman, tu es fière de toi, j'espère ! a lâché Lily pendant le petit déjeuner.

— Pour quelle raison ?

— Eh ben, parce qu'il y a eu un orage, qu'on était toutes seules et que t'as même pas fait d'attaque de panique.

Maman n'a pas répondu, mais on voyait bien qu'elle était fière.

On allait quitter le camping-car quand le téléphone a sonné. Maman a répondu, mais je n'arrivais pas à savoir à qui elle parlait, ce n'était pas quelqu'un qu'elle connaissait bien, elle avait sa voix un peu pointue, mais ce n'était pas non plus quelqu'un qu'elle n'aimait pas.

— C'est ton proviseur, elle m'a appris en raccrochant. Il faut qu'on discute.

Alors on a discuté. M. Martin lui rappelait que la première épreuve du bac avait lieu dans trois jours et voulait s'assurer que je n'avais pas changé d'avis.

Elle m'avait interrogée plusieurs fois pendant le séjour, je restais sur mes positions. À quoi bon ? La seule raison pour laquelle mon refus n'était pas catégorique, c'était parce que je voulais faire plaisir à maman. Ce n'était pas une raison suffisante.

— Tu as raison, ce n'est pas une raison suffisante, elle a affirmé. Il faut que tu fasses les choses pour toi.

— Voilà. Mais, pour moi, je ne vois pas l'intérêt.

Elle a souri.

— Ça te permettrait sans doute de trouver du travail plus facilement en Australie.

— Hein ?

— Tu passes ton bac et après tu pars, c'est le deal.

— Mais comment tu… non ? C'est Diego qui m'a balancée ?

Elle n'a pas confirmé, mais son sourire n'a pas nié.

— Je ne compte pas partir, j'ai déclaré.

— Chloé, il est hors de question que tu sacrifies tes rêves pour moi. Je n'ai pas besoin de toi, j'ai juste besoin de te savoir heureuse, même si c'est à l'autre bout de la planète. Et puis, j'ai toujours rêvé de voir la grande barrière de corail, pas toi Lily ?

— Et les kangourous ! Et les koalas ! Tu pars quand ?

Maman a poursuivi :

— On va s'occuper de tout ça. Mais, d'abord, tu vas passer ton bac. On a deux jours pour faire le trajet retour, ne perdons plus une minute.

Je n'ai pas eu le temps de comprendre que, déjà, on était à bord du ferry qui nous emmenait loin de la Norvège. J'ai gardé les yeux rivés sur elle jusqu'à ce qu'elle soit floue. Je voulais lui dire au revoir comme elle le méritait.

À l'intérieur, je me suis plongée dans le téléphone pour ne pas regarder mes pensées en face. J'avais un message de Kevin, il venait de l'envoyer.

« Slt, tu rentre quand ? »

J'ai tourné l'écran pour que maman ne le voie pas, j'ai tapé les mots et je les ai envoyés.

« Coucou ! Je serai là après-demain. Pourquoi ? »

Sa réponse est arrivée en suivant :

« J'aimerai bien te voir, je peu venir chez toi ? »

J'ai réfléchi plusieurs minutes, j'ai pensé aux mots de maman, à ceux de Diego, au regard de Kevin, aux poésies de Louis, au journal de Lily, aux mains de Kevin, et j'ai répondu oui.

Lily

13 juin

Cher Marcel,

Le voyage est fini. On est presque en Allemagne, ma mère conduit tout le temps, on s'arrête presque pas, il faut qu'on arrive à temps pour le bac.

Je suis très très très très triste, tu sais. Je dis pas que j'aimais pas notre vie chez nous, mais c'était pas pareil. Ma mère était toujours au travail, ma sœur ne me parlait pas et restait toujours dans sa chambre, et en plus il fallait aller à l'école. J'espère que ça va vraiment changer, ma mère nous a promis qu'elle ne travaillerait plus le soir et Chloé a évolué. Tant mieux, parce qu'elle filait vraiment un mauvais collant.

Le plus dur, c'était de dire au revoir à Noé. Il me manque déjà beaucoup. Il ne parlait pas, mais je comprenais tout ce qu'il me disait. Je sais qu'il me comprenait aussi. Je lui ai dit que c'était la plus belle rencontre de toute ma longue vie et je lui ai fait un bisou, il n'a pas reculé et j'ai eu l'impression qu'il souriait. Mais bon, je vais arrêter d'en parler, parce que j'ai les yeux qui fuient.

Je me souviens quand son père nous a dit qu'il était différent, il s'est trompé. Il n'est pas différent, il est mieux.

Ma mère m'a demandé si j'avais envie de retourner à l'école, il reste à peine une semaine, parce qu'après les troisièmes passent le brevet. J'ai bien réfléchi et j'ai dit oui. Si je reste à la maison, je vais devoir tuer le temps et j'aime pas la violence.

Je vais te laisser, mon petit Marcel, j'ai envie de regarder la route.

Gros bisous
Lily
P-S : tu arrives presque à la fin, mais je ne t'abandonnerai jamais.

Anna

C'est étrange de rentrer chez soi en ne s'y sentant pas. L'appartement est plongé dans la pénombre, il y fait chaud. Je referme la porte derrière nous, le silence s'impose. Pas de vent qui siffle, pas d'oiseaux qui chantent, pas de moteur qui tourne.

— On fait quoi, maintenant ? s'enquiert Lily.

— On ouvre les volets.

Nous faisons entrer l'air par toutes les fenêtres, nous enchaînons les allers-retours entre le parking et l'appartement, peu à peu il se remplit de sacs, de souvenirs, de nourriture, de vie. Les trolls achetés dans les Lofoten trouvent immédiatement leur place au-dessus de la télé. Lily aligne ses cailloux sur le tapis du salon.

La boîte aux lettres est pleine, je dépose son contenu sur la table sans l'ouvrir. Chloé part s'isoler dans sa chambre pour réviser. Elle en ressort trois minutes plus tard et s'installe sur le canapé. Je regarde les valises, qui attendent d'être vidées, et je m'assois à ses côtés.

— T'as besoin d'aide ?

— Non, c'est bon. Mais j'ai un peu faim.

Dix minutes plus tard, j'ai préparé des pâtes, il y a de l'eau brûlée partout sur les plaques de cuisson, j'ai pris l'habitude de ma petite plaque électrique. Nous ouvrons une boîte de harengs et mangeons en silence, assises par terre autour de la table du salon.

Nous nous couchons tôt, demain matin l'épreuve de philosophie attend Chloé et Lily retourne au collège.

Lily n'a que le nez et les yeux qui dépassent de sa couette.

— Tu n'as pas chaud ?

— Si, mais ça me rappelle là-bas.

Je lui dépose un baiser sur le front et lui souhaite une douce nuit.

— Maman, tu peux laisser ma porte ouverte s'il te plaît ?

Chloé, allongée sur le ventre, est plongée dans ses fiches de révision.

— Tu devrais dormir.

— Je les lis encore une fois et j'éteins, promis.

— Bonne nuit, ma grande.

— Bonne nuit, maman.

J'ai la gorge nouée en regagnant ma chambre. Un couloir et un salon nous séparent, je n'entendrai pas leur respiration cette nuit. Le lit me paraît immense, je me couche juste au bord.

Je suis presque dans les bras de Morphée quand des petits bruits de pas me parviennent.

Ma porte s'ouvre et la silhouette de Lily apparaît. Puis celle de Chloé. Je roule au milieu du lit et ouvre mes bras. Lily à ma gauche, Chloé à ma droite, tout contre moi. Maintenant, nous pouvons dormir.

Les chroniques de Chloé

J'avais mal au ventre. Maman était allée chercher du pain et des fruits et nous avait préparé un bon petit déjeuner, mais je n'ai rien pu avaler. Maman a glissé une banane dans mon sac.

J'ai pris le bus avec Lily, je me suis assise avec Karim et Inès, elle avec Clelia. Le collège est avant le lycée, elle m'a envoyé un bisou avant de descendre.

C'était bizarre d'être là, ma tête n'y était pas encore vraiment. J'observais tous ces gens avec qui je partageais le trajet depuis des années et que je ne connaissais pas. Ce grand brun avec son tee-shirt Star Wars et son casque sur les oreilles, cette fille à lunettes avec son air timide, celle-là qui souriait tout le temps et changeait sans arrêt de coiffure. Est-ce que je me serais entendue avec eux si on avait fait un road trip ensemble ? Est-ce qu'on se serait rendu compte qu'on avait des tas de points communs ? Est-ce qu'on passe souvent à côté d'amitiés ?

Papa m'a envoyé un SMS pour me faire savoir qu'il pensait à moi et qu'il croisait les doigts. Je l'ai remercié et j'ai ajouté « bisou ».

— Oh, une revenante !

Toute la classe attendait dans la cour. Un cercle s'est formé autour de moi.

— Alors, c'était comment ?

— C'est vrai que t'étais au pôle Nord ?

— T'as vu des ours blancs ?

— Mais pourquoi vous êtes parties ?

J'ai répondu brièvement, je leur ai montré quelques photos, même s'ils n'avaient pas l'air de se rendre compte. Je les écoutais parler de leurs projets, des études qu'ils comptaient entreprendre, dessiner leurs espoirs, et, pour la première fois, je n'ai pas eu l'impression qu'on était des enfants dans des costumes d'adultes. On y était. C'était le moment de déployer nos ailes.

« Peut-on penser sans autrui ? »

C'était le thème de la dissertation. Maman a assuré que non, Lily a décrété que oui, heureusement j'ai étayé mes propos avec plus d'arguments.

J'ai fait un détour par la boulangerie avant de rentrer. Kevin enfournait les viennoiseries, on s'est souri. Il avait changé de coiffure, ça lui allait bien. On doit se voir bientôt.

Maman m'attendait avec des infos sur l'Australie. Elle avait trouvé un organisme qui s'occupait de demander le visa, de dénicher une famille d'accueil sur place le temps de trouver un logement, des écoles pour prendre des cours d'anglais, et qui proposait des petits jobs. Il me suffisait d'attendre ma majorité, le mois prochain.

— C'est le Working Holiday Visa dont tu m'avais parlé, elle a précisé. Tu prends des cours, tu travailles pour subvenir à tes besoins là-bas et, le reste du temps, tu visites ! Tu peux même changer de ville autant que tu le veux.

— Je peux y rester un an, c'est ça ?

Elle a acquiescé.

Lily faisait ses devoirs à côté de nous. Quand elle a vu que je venais de manger les deux bouts de la baguette, elle est entrée dans une colère noire.

— Tu m'as piqué les quignons !

Je n'ai pas répondu, mais elle n'en avait pas fini avec moi.

— Tu penses qu'à toi, espèce d'égoïste !

— Eh oh, tu vas pas m'emmerder pour un morceau de pain !

— Les filles, calmez-vous, maman a ordonné.

— C'est pas moi, j'ai répliqué, c'est Lily qui est vénère.

— Je te vénère pas, je te dis que t'es rien qu'une égoïste, et je le pense !

Elle est partie dans sa chambre en claquant bien fort la porte, au cas où on n'aurait pas compris. Maman a haussé les épaules.

— J'espère qu'il ne s'est rien passé au collège.

J'ai retrouvé Lily dans sa chambre, il m'a fallu un moment, elle était dans son armoire, assise entre un manteau et une robe.

— Qu'est-ce que tu fous là ? j'ai demandé.

— Rien.

— Tu veux qu'on parle ?

— Non.
— Tu veux que je te laisse ?
— Non.
— Tu veux quoi ?
— Je veux pas que tu partes.

Lily

17 juin

Cher Marcel,

J'espère que tu vas bien, moi ça va et ça va pas en même temps.

Ma mère n'a toujours pas défait les valises, il y en a partout, elle dit qu'elle n'a pas le temps, moi, je dis qu'elle ne veut pas parce qu'après on sera rentrées pour de bon.

On est allées rendre le camping-car à mon grand-père, il était content de nous voir, surtout qu'il n'y avait aucune rayure.

Ils ont voulu tout savoir, on leur a presque tout raconté, d'un commun accord on a gardé le secret pour Mathias, je ne l'avouerai pas même si on me tire les mots du nez. Ils étaient contents des trolls qu'on leur a rapportés, mais ils n'ont pas du tout du tout aimé les harengs fermentés. On leur a montré plein de photos sur le téléphone de ma mère, il y avait même des vidéos des cascades, mais franchement, je vois pas l'intérêt parce que ça n'a rien à voir.

C'est comme quand on regarde quelqu'un qui mange, on a toujours faim.

En parlant de ça, mamie Jeannette nous avait préparé des gaufres, j'en ai avalé quatre, une avec du sucre, une avec de la confiture, une avec du chocolat et une avec tout, mais, après, mon ventre m'a rendu la monnaie de ma pièce. Heureusement que les gaufres n'étaient pas bonnes, sinon je te dis pas.

Chloé a parlé de l'Australie, je commence à m'y habituer, même si j'espère qu'elle se fera attaquer par un crocodile et qu'elle rentrera vite. Même avec une jambe en moins, ça restera ma sœur.

J'aime aller chez mes grands-parents, mais j'aime aussi en partir, parce que je ne m'y sens jamais trop bien. Je crois que c'est à cause de leurs gros meubles marron foncé et des tableaux en laine de Jeannette. Sur celui du salon, elle a fait un chien, tu verrais sa tronche, il a dû se prendre la vitre un paquet de fois. Et je te parle pas de la grande horloge qui fait tic-tac, et des napperons, bref, j'ai l'impression d'être dans une maison du Moyen Âge, et pas du troisième. J'espère que, quand je serai vieille, je ne serai pas vieille.

T'as vu comment je suis obligée d'écrire en tout petit, j'ai pas envie que tu sois fini, mais il ne te reste plus que quelques pages. Peut-être que, si je n'écris que les consonnes, ce sera mieux ?

Bisous Marcel, garde la pêche !
Lily
P-S : je ne mets pas de P-S pour économiser de la place.

Anna

Maître Renard arrive à l'heure, avec sa mallette et son sourire emprunté.

— Bonjour, madame Moulineau, dit-il en me tendant la main. Votre fille n'est pas là ?

Je ris intérieurement en repensant à l'accueil que lui avait réservé Lily.

— Non, rassurez-vous

— Je ne suis pas inquiet.

Nous nous installons dans le salon. Il sort plusieurs feuilles de son dossier et les étale sur la table.

— Comme je vous l'ai expliqué au téléphone, votre banque ayant bloqué les prélèvements, le montant de la dette a augmenté. Avez-vous une solution, madame Moulineau ?

Hier, j'ai postulé à une dizaine d'offres d'emploi, dans divers domaines : entretien, aide à la personne, secrétariat. Une entreprise de nettoyage m'a rappelée. La jeune femme m'a indiqué que mon profil les intéressait pour effectuer le ménage chez des particuliers. Les horaires sont modulables, on peut choisir de travailler à temps partiel ou à temps plein et c'est payé au SMIC. Je m'y rends demain pour faire un essai :

nettoyage d'une pièce complète et repassage, mais elle a précisé qu'il s'agissait d'une formalité.

J'ai réfléchi. Avec cet emploi, je gagnerais moins qu'au restaurant. Toutefois, il me restait une solution. J'ai saisi mon téléphone et appelé avant de changer d'avis.

— Mathias, c'est Anna.

— Salut, Anna ! Comment vas-tu ?

Sa voix était enjouée, comme si nous étions de vieux amis, comme si rien ne s'était passé.

— Ça va. Dis, tu sais que j'ai toujours essayé de te comprendre, je n'ai jamais voulu être dure ou te faire payer quoi que ce soit, je…

— Ouh là ! Ça commence mal !

Sa voix était plus sèche. J'ai dégluti. Même à l'autre bout de la France, même sept ans après, j'avais peur que son poing ne m'atteigne.

— Mathias, tu sais que je galère vraiment à boucler les fins de mois, je ne m'en sors plus. Je ne t'ai jamais rien demandé, je savais que tu ne travaillais pas et que c'était difficile pour toi aussi, je n'avais pas envie d'ajouter ça, mais apparemment tu gagnes bien ta vie maintenant, alors…

Il a lâché un ricanement qui ne riait pas vraiment.

— Ton petit voyage t'a mise sur la paille alors tu veux me plumer, c'est ça ?

J'ai marqué une pause. À quoi m'attendais-je ?

— Mathias, tu sais que cet argent n'est pas pour moi. Tu es leur père, même si tu ne vis pas avec elles, tu dois subvenir à leurs besoins. J'aurais pu demander à un juge de t'y obliger depuis le début, mais…

— Combien ? m'a-t-il coupée.

— Je pense que…

— Chloé est grande, elle peut travailler, mais je te donnerai pour Lily. Je me renseigne et je te dis.

Une heure plus tard, il m'envoyait un message pour m'annoncer qu'il me verserait deux cents euros par mois, en échange de quoi il voulait venir les voir de temps en temps. J'ai accepté, à la condition d'être présente lors des rencontres.

Maître Renard toussote et me sort de mes pensées. Il attend ma réponse.

— Je ne pourrai pas tout vous rembourser d'un coup comme vous le souhaitez, mais je m'engage à reprendre le paiement des mensualités et, pour le retard, je peux vous donner cent euros par mois.

Il pousse un long soupir.

— Madame Moulineau, cela fait trois mois que je fais patienter mon client en lui promettant que vous allez solder la dette.

— Je sais, mais je ne peux pas vous proposer mieux.

— Cela me met dans une situation très compliquée…

— Je suis vraiment désolée.

— Nous allons donc devoir engager une procédure pour obtenir une injonction de payer, assène-t-il en se levant. Je regrette de vous avoir fait confiance.

— Je vous promets que je ne suis pas de mauvaise foi, je réglerai chaque mensualité dans les temps. Je suis sûre que vous saurez convaincre votre client qu'un paiement garanti, même long, est la meilleure solution.

Il se dirige vers la porte en m'ignorant. C'est le moment de dégainer l'arme secrète que m'a fournie Françoise.

— Maître Renard, j'ai pris conseil auprès d'une avocate qui m'a expliqué qu'avec mes revenus et mes charges, si je déposais un dossier de surendettement auprès de la Banque de France, il serait accepté et un moratoire pourrait être mis en place en attendant que ma situation s'améliore. La dette serait donc gelée. Je ne souhaite pas en arriver là, j'ai contracté ce crédit et je tiens à le rembourser, mais il faut que vous me fassiez confiance.

Il appuie sur la poignée sans un mot, puis se retourne.

— Je peux vous poser une question ? demande-t-il.

— Bien sûr.

— Il y a près de trois mois, nous avions rendez-vous, vous affirmiez avoir la somme nécessaire pour régler la dette intégralement, mais vous avez annulé. C'était faux, n'est-ce pas ?

— Non, j'avais vraiment la somme.

— Mais alors, je ne comprends pas ! Pourquoi n'en avez-vous pas profité pour vous débarrasser de cette créance ?

Je réfléchis à la meilleure manière de formuler ma réponse, mais elle s'évade toute seule :

— Parce qu'elle m'a permis de faire quelque chose de plus important.

Lily

20 juin

Cher Marcel,

J'espère que tu vas réussir à me lire. Finalement, je n'écrirai pas qu'avec des consonnes, ce serait trop difficile à comprendre, alors j'écris tout petit petit.

Je voulais juste te dire que j'étais très contente. Cet après-midi, je suis allée chez Clelia. Son père m'a demandé si j'avais vu des Vikings et après il s'est remis à tenir compagnie à la télé, du coup on pouvait être tranquilles avec les rats. Figure-toi que Ratiche et Rature ont eu d'autres bébés pendant que je n'étais pas là, et que Clelia m'en a gardé un parce qu'elle me connaît.

Je te dis pas comment j'ai dû batailler pour que ma mère accepte, heureusement que j'ai plusieurs casquettes à mon arc, j'ai réussi à lui faire comprendre que c'était très très très important. Bon, j'ai dû promettre qu'il ne sortirait pas de ma chambre quand elle serait dans l'appartement, mais je suis sûre qu'à force elle va s'habituer à lui. Je voudrais bien te faire

341

deviner comment je l'ai appelé, mais on n'a pas assez de place pour ça, alors je te le dis, il s'appelle Ralala. D'ailleurs, là il est en train de marcher sur ta page de gauche, j'espère que vous vous entendrez bien. Ah, au fait ! Chloé a téléphoné à Diego et Edgar pour savoir comment s'était passé leur retour. On a gardé le secret jusqu'au bout, mais on voulait avoir des nouvelles. En fait, à cause de la carte bancaire et du GPS, tout le monde savait où ils étaient, y avait même pas besoin de les chercher. Du coup, le directeur n'a pas porté plainte, mais il ne les veut plus dans sa maison de retraite. Ils vont devoir trouver autre chose et, apparemment, ça va être difficile de rester ensemble. Je te jure, Marcel, je suis bien contente d'utiliser la crème antirides de ma mère, comme ça je deviendrai jamais vieille.

Allez, faut que je me couche, demain y a école (je vais essayer de redormir dans mon lit). Je suis contente, ça se passe bien avec Juliette et Manon, elles font comme si je n'existais pas.

Bisous, Marcel.
Lily
P-S : Ralala te dit pardon, il n'a pas fait exprès pour le pipi.

Anna

Ma grand-mère est assise près de la fenêtre, dans son fauteuil. Elle nous attendait. Elle était heureuse que j'avance ma venue d'un jour afin que les filles soient là. Un jour de moins sur son planning de solitude. Je la serre fort contre moi, ses joues sont fraîches. Lily l'embrasse et lui tend une petite pierre noire.

— Tiens, mémé, je t'ai rapporté ça du cap Nord !

Mémé est émue, elle caresse le caillou comme s'il s'agissait d'un diamant. Chloé lui prend la main et lui glisse quelques mots à l'oreille.

— Je n'ai rien fait de spécial, répond-elle tout bas.

— Oh si, mémé ! interviens-je. Tu as fait beaucoup.

Elle rejette la responsabilité d'un revers de main modeste et détourne notre attention vers les biscuits posés sur la tablette roulante.

— Servez-vous, c'est la petite-fille de Mme Duport qui les a faits !

— Non merci, décline Chloé, j'essaie de faire un peu attention, j'ai pris deux kilos.

— Et ça te va très bien, tu as meilleure mine que la dernière fois où je t'ai vue !

Lily approuve d'un hochement de tête, tout en croquant dans un biscuit. Elle le repose aussitôt, le visage déformé par une grimace.

— C'est des gâteaux au béton ou quoi ? J'ai failli perdre toutes mes dents !

— Ils étaient bons, pourtant, la semaine dernière, s'étonne mémé. Bon alors, racontez-moi tout ! Je garde un excellent souvenir de la Norvège, ça vous a plu ?

Je laisse parler les filles, ma grand-mère connaît déjà mes impressions, je l'appelais au moins une fois par semaine. Elles comparent leurs expériences, leurs émotions presque identiques malgré les soixante ans qui les séparent.

— Qu'avez-vous préféré ?

— C'est difficile, répond Chloé, j'ai vraiment aimé beaucoup de choses… Peut-être l'aurore boréale. Ou Preikestolen. Non, non, je sais ! Ce que j'ai préféré, c'est qu'on soit ensemble toutes les trois.

— Ben, moi, j'ai préféré les baleines ! déclare Lily.

Mémé s'esclaffe, les filles l'imitent. Je les observe en savourant ma chance d'être entourée de celles sans qui je ne serais pas celle que je suis. Il n'en manque qu'une, mais elle est en chacune de nous.

Nous restons jusqu'à l'heure du dîner, servi dans la salle à manger, puis j'embrasse ma grand-mère.

— Je reviens la semaine prochaine, mémé.

— Moi aussi ! s'exclame Lily. Mais jette ces gâteaux, ils sont dangereux.

— Je serai là aussi, ajoute Chloé.

Mémé est aux anges. Elle nous suit du regard jusqu'à ce que nous quittions sa chambre. Les filles sortent en premier, je m'apprête à refermer la porte quand je l'entends m'appeler tout bas. Je me retourne, elle a sa tête de conspiratrice.

— Alors, tu as des nouvelles de lui ? chuchote-t-elle.

— Je comptais justement l'appeler en sortant.

— Tu vas l'annoncer ?

— Je ne sais pas encore.

Elle se frotte les mains, sous ses rides elle a dix ans. Je lui tire la langue et je ferme la porte.

Cinq sonneries. Je suis sur le point de raccrocher lorsqu'il répond.

— Salut, Anna !

— Salut, Julien ! Comment tu vas ?

Lily

25 juin

Mon très très très cher Marcel,

C'est la dernière fois que je t'écris, je suis vraiment triste. J'ai l'impression que tu es avec moi depuis toujours, et maintenant je dois te quitter parce que tu n'as plus de place. J'aurais pas dû écrire si gros au début, j'aurais dû te parler avec parcimonique, ça m'apprendra.

Bon, je te raconte d'abord les derniers potins et, après, je te dirai au revoir comme il se doit.

D'abord, je suis trop contente parce que ce week-end je vais aller chez Noé. Ma mère a appelé son père, il pense que c'est une très bonne idée qu'on se revoie. J'ai un peu peur qu'il ne me reconnaisse pas, mais je lui chuchoterai des chansons, comme quand on a dormi dehors, ça devrait lui rafraîchir la mémoire. En tout cas, il me tarde de le voir, parce que j'ai bien cherché au collège, il n'y a pas deux Noé comme lui.

En parlant de collège, c'était trop beau, les jumelles ne m'avaient pas oubliée. Elles attendaient juste le bon moment. Elles m'ont chopée dans le vestiaire du gymnase, j'étais en train de me changer, j'avais mon pantalon sur les chevilles. Juliette a lancé que j'étais qu'une fayote, qu'à cause de moi sa sœur avait été virée trois jours, Manon a ajouté qu'elle aurait préféré que je ne revienne jamais. J'ai répondu que j'avais rien à leur dire, qu'on ne mélange pas les torchons et les lanternes, mais ça les a fait rire et elles ont continué à se moquer de moi. Tout le monde nous regardait mais personne ne bronchait. Elles m'ont dit qu'il fallait que j'arrête de faire ma crâneuse, que j'avais une face de pet, surtout avec les cheveux courts, que ma mère aurait dû me jeter dans les toilettes. Là, quand même, je leur ai conseillé de ne pas parler de ma mère, mais elles ont continué, elles ont dit qu'elle était grosse, qu'elle était pauvre, ça m'a piqué les yeux. J'ai failli rétorquer que leur mère est tellement petite que sa tête sent des pieds, mais, d'un coup, j'ai repensé à ce que m'avait appris Françoise. Répondre à la méchanceté par un compliment.

J'ai regardé Manon, qui était en train de me balancer des trucs horribles, je lui ai fait un grand sourire, et je l'ai remerciée. Elle m'a demandé pourquoi, je lui ai expliqué que sa gentillesse me touchait beaucoup, qu'il devrait y avoir plus de gens comme elle sur la planète. Tout le monde a rigolé, du coup elle s'est encore plus énervée. Sa sœur a crié que j'étais complètement folle, je lui ai susurré qu'elle était belle, surtout quand elle souriait. Ah ça, ça lui a cloué le sifflet, t'aurais dû voir ça ! Tous les autres étaient morts de rire, elles ont marmonné encore quelques insultes, et puis elles sont passées à autre chose. Bon, elles ont recommencé en cours de maths, ça va pas s'arrêter si facilement, faut pas rêver, mais maintenant je sais comment répondre. Je te jure, Marcel, si un jour on leur passe un scanner du cerveau, on va avoir des surprises.

Bref, j'espère que tu es fier de moi. Moi, en tout cas, je suis fière de toi et j'étais vraiment contente d'avoir passé quatre mois de ma vie avec toi. Quatre mois importants.

Tu vas beaucoup me manquer, mais je ne t'abandonne pas, c'est juste que je ne pourrai plus te parler. Je te garderai toujours, même quand je serai dans une maison de vieux comme mémé, tu seras là. Tu es vraiment le meilleur des journaux, je ne t'oublierai jamais. Merci pour tout, mon petit Marcel chéri.

Lily
P-S : je t'aime.

Les chroniques de Chloé

Maman travaillait toute la journée, c'était la première fois depuis qu'elle a commencé les ménages. L'entreprise lui a déjà trouvé plusieurs contrats, elle pense être à plein temps rapidement. Lily passait la journée chez Clelia.

Je me suis levée tard, ça faisait longtemps que ce n'était pas arrivé, le stress des examens retombe maintenant que les épreuves sont terminées. Je suis allée faire les photocopies pour constituer ma demande de visa, puis je suis rentrée me préparer.

J'ai lissé mes cheveux, je sais qu'il aime. J'ai mis une petite robe noire, des chaussures à talons et du rouge sur mes lèvres. Il est arrivé en retard, mais avec des chouquettes.

— Salut, Chloé.

— Salut, Kevin, entre !

Il a regardé le mur du couloir, qu'on a recouvert de photos du road trip. Il n'avait pas l'air à l'aise, moi non plus. Mes jambes tremblaient.

— Ça avait l'air sympa !

— C'était génial. Tu veux boire quelque chose ?

— T'as quoi ?

— De l'eau.

— Un verre d'eau, alors.

On s'est assis sur le canapé, il a posé la main sur ma cuisse.

— Je suis heureuse de te voir. Je suis désolée pour ma mère…

— Ouais, elle a grave abusé.

— Je sais. Tu m'en veux ?

— Un peu. Mais tu sais comment te faire pardonner…

Il s'est pressé contre moi et m'a embrassée. Sa main est remontée sous ma robe, il sentait le pain chaud.

— Tu veux rester là ou on va dans la chambre ? il a demandé.

— Je préfère aller dans la chambre.

Il m'a suivie, j'avais à peine refermé la porte qu'il m'embrassait avec fougue. Il a fait voler ma robe, j'ai retiré son jean, ses mains caressaient mon dos, mon soutien-gorge s'est détaché, j'ai enlevé son tee-shirt, il a gémi. Il dévorait mon cou et pétrissait mes seins, j'ai jeté son caleçon. Je l'ai poussé sur le lit, il m'attendait, le regard fiévreux. Il m'a pris la main et m'a attirée vers lui.

— Viens.

— Attends, j'ai répondu. J'ai une petite surprise.

Il a eu un sourire excité, je suis sortie de la chambre et me suis enfermée dans la salle de bains. J'en suis sortie quelques minutes plus tard, en courant.

— Kevin, viens vite ! j'ai hurlé. Vite ! Il y a le feu, des flammes immenses, il faut qu'on parte !

Il s'est éjecté du lit comme un CD, il a cherché ses vêtements, je l'ai tiré par le bras.

— Mais viiiiiiite ! On va brûler ! On s'en fout de tes fringues !

Je l'ai entraîné dans le couloir, je criais, je n'ai pas eu le temps d'ouvrir la porte qu'il était déjà dans les escaliers de l'immeuble. Il lui a fallu un étage pour comprendre. Il est remonté, les mains tentant de camoufler son intimité, et m'a lancé un regard inter-rogateur. Je lui ai souri.

— Estime-toi heureux, je t'ai laissé les chaussettes.

J'ai fermé à clé et j'ai appelé Louise pour lui raconter.

Anna

Lily a absolument tenu à frapper à la porte. Après avoir reçu douze coups, celle-ci s'ouvre et laisse apparaître Julien. Son sourire déclenche le mien.

Lily le salue en cherchant Noé du regard.

— Il est dans le salon, entrez !

Ma fille s'engouffre à l'intérieur, je me retrouve seule face à Julien. Il ne me laisse pas le temps d'hésiter, il me dépose un baiser sur les lèvres et m'entraîne dans son appartement.

Lily s'est assise à côté de Noé. Il se balance d'avant en arrière.

— Noé, c'est Lily, tu me reconnais ? Tu te souviens, on est allés en Suède, en Finlande et en Norvège, je venais te voir dans ton camping-car, on jouait à la toupie ?

L'enfant n'a pas de réaction, il fixe l'écran de la télé qui diffuse des images de nature. Lily se relève et extirpe de sa poche le yoyo lumineux qu'elle m'a demandé d'acheter sur le trajet. Sans se soucier de Noé, qui coule un regard vers elle, elle commence à jouer.

— Viens, on les laisse, me glisse Julien en m'entraînant hors de la pièce.

Nous nous installons sur le balcon de la cuisine, autour d'une petite table verte.

— Je suis content de te voir.

— Moi aussi.

— C'était dur sans toi, j'ai pris de mauvaises habitudes.

Je souris. Il pose la main sur la mienne.

— Je t'aime, Anna, murmure-t-il.

Mon cœur bat plus fort, comme chaque fois qu'il me le dit.

— Moi aussi, je t'aime. De tout mon cœur.

Il caresse ma main.

— Tu penses qu'il est temps de leur annoncer ?

— Je crois. Ma grand-mère ne tient plus, elle veut connaître leur réaction.

— Tu crois qu'ils vont bien le prendre ?

— J'en suis sûre. J'ai l'impression qu'elles t'aiment bien. Enfin, il se peut que Chloé te demande de jeter tes chemises.

Il rit.

— Tu sais quel jour on est ? s'enquiert-il.

— Bien sûr que je sais.

— Joyeux anniversaire, mon amour.

— Joyeux anniversaire, mon chéri. Un an, déjà...

DEUX MOIS PLUS TÔT

Anna

5 avril

En arrivant sur l'aire de Hambourg, je savais que Julien s'y trouvait. J'ai eu du mal à me retenir de rire en voyant sa tête. J'étais en train de me débattre avec la cassette W-C du camping-car.

— Anna ? Mais qu'est-ce que tu fais là ? m'a-t-il demandé avec un immense sourire.

— Fais attention, mes filles regardent par la fenêtre. J'ai écouté tes conseils, il fallait qu'on parte. Et j'en ai profité pour te faire une surprise.

— Tu n'imagines pas à quel point j'ai envie de te serrer dans mes bras.

Julien était le chef cuisinier de l'Auberge Blanche. Pendant cinq ans, nous avons travaillé ensemble. J'appréciais ce grand gaillard, toujours prompt à lancer une histoire drôle au cœur d'un service mouvementé, mais nous n'avions jamais pris le temps de nous connaître réellement. Jusqu'à ce matin de novembre où il est arrivé le regard vide. Sa femme venait de les quitter, Noé et lui, il était terrassé. Je me suis reconnue dans son désarroi – ma famille avait explosé deux ans plus tôt. Petit à petit, de confidences en silences, nous sommes devenus amis. Nos blessures nous ont rapprochés, nos surfaces entaillées s'attiraient comme du Velcro. Il m'aidait à nettoyer la salle, je l'aidais à ranger la cuisine, on lavait en refaisant le monde et il n'était pas rare que l'on prolonge nos discussions après la fermeture.

Lorsque Julien a quitté son poste pour s'occuper pleinement de son fils, il y a trois ans, j'ai ressenti un vide qui m'a laissée penser qu'il était plus qu'un ami. Mais je courais déjà après le temps, il m'était impossible de m'engager dans une relation. Sans parler de cette armure dans laquelle je m'étais enfermée, et que je n'étais pas prête à enlever. Je ne savais même pas si mes sentiments étaient partagés.

Nous sommes restés en contact lointain. Il voyageait avec son fils, je me débattais avec mes filles, on s'envoyait quelques messages à l'occasion. L'année dernière, il est venu dîner au restaurant. Pendant le service, j'ai fait tomber trois plats. J'étais troublée. Il est resté après la fermeture. La complicité est rapidement revenue. Comme avant, il m'a raccompagnée à ma voiture et m'a souhaité une bonne nuit avant de claquer la portière. À la différence près que, cette fois, ce n'était pas sur la joue qu'il m'avait embrassée.

Les mois suivants, nous nous sommes vus quelquefois, appelés souvent. Je tenais à consacrer tout mon temps libre à mes filles, il ne nous restait pas grand-chose, mais nous profitions pleinement de ces moments-là. Il n'a pas fallu longtemps avant que je ne fasse voler mon armure. Julien n'était pas Mathias. Il me respectait, ne cherchait pas à m'imposer sa pensée, il m'écoutait, il se satisfaisait de me savoir heureuse. Il me laissait le dernier carré de chocolat. Avec lui, je ne pesais pas chacun de mes mots, je ne reculais pas dès qu'il levait le bras. Avec lui, je me sentais bien.

Lorsqu'il m'a annoncé qu'il partait à nouveau en road trip avec Noé, je l'ai envié. Il m'a proposé de le suivre, ce serait une bonne occasion de se présenter nos enfants, a-t-il argumenté, mais c'était de la folie. Et puis, les raisons de partir ont dépassé les raisons de ne pas partir. Je ne voulais pas faire partie du groupe. Le suivre à distance, pour ne pas être seule dans un pays inconnu, savoir que Julien n'était pas loin en cas de souci, d'accord, mais le but était de passer du temps avec mes filles, pas de partir en vacances organisées. Elles ne m'ont pas laissé le choix.

Alors, nous avons entamé le voyage qui allait changer nos vies.

DEUX MOIS PLUS TARD

Les chroniques de Chloé

Je sais, je ne vous ai pas écrit depuis longtemps, mais j'avais une bonne raison : je préparais mon départ.

C'est le grand jour. Dans trois heures, je prendrai l'avion vers ma nouvelle vie.

Maman ne me lâche pas d'une semelle. Elle essaie de ne pas montrer qu'elle est triste, mais, à trop répéter qu'elle est heureuse, elle sème le doute. Je crois qu'elle aurait préféré que je n'aie pas mon bac pour tout annuler.

Lily ne cherche même pas à faire semblant, elle a versé l'équivalent de la mer de Norvège depuis ce matin.

Si j'étais partie l'année dernière, les laisser aurait sans doute été moins difficile. Là, c'est comme si on nous séparait alors que l'on vient de se retrouver. Ces dernières semaines, la vie à la maison est plus douce. La journée, Lily est au centre de loisirs et maman au travail. Je profite de l'appartement, j'écris, j'échange des SMS avec Louise, je prépare mes affaires, je traîne avec Inès en évitant précautionneusement de passer devant la boulangerie. Tous les soirs, avec maman et Lily, on mange ensemble et on se fait un film. Dit comme ça, ça ressemble à une publicité, mais, rassurez-vous, il y a encore des moments où je me retiens de balancer des horreurs à maman et de jeter Lily dans le vide-ordures. Chaque fois, il me suffit de penser qu'elles seront loin de moi pendant un an pour enrayer la crise. Quand on voit la fin, on va à l'essentiel.

Papa m'a appelée ce matin pour me souhaiter un bon voyage. Je lui ai promis d'aller le voir à mon retour. Un an devrait suffire pour m'y préparer.

Kevin m'a envoyé des messages d'insultes pendant plusieurs jours, avant de finir par se lasser. Depuis, il y a eu Malo, qui a patienté deux semaines avant que je l'invite dans ma chambre, et Sami, qui n'a pas attendu. Je progresse doucement. Comme dirait ma sœur, petit à petit l'oiseau devient forgeron.

— Tu es prête, ma puce ?

Maman se tient dans l'encadrement de ma porte, un sourire factice aux lèvres. Il est temps d'y aller. Je jette un dernier regard à ma chambre et je ferme la porte sur ma vie d'adolescente.

— Un an, ça va vite passer, elle martèle, comme pour se convaincre elle-même.

— On fera des appels visio !

Lily hoche la tête :

— Et si on devient riches, on viendra ! J'espère qu'on verra des koalas et des kangourous !

Noé et Julien nous attendent dans la voiture. Heureusement qu'ils nous accompagnent à l'aéroport, je n'ose imaginer si elles avaient dû repartir seules. Heureusement qu'ils sont là tout court. Je ne pouvais rêver laisser maman et Lily en meilleure compagnie. On sous-estime le pouvoir des chemises de bûcheron.

— J'ai une bonne nouvelle ! il lance en ouvrant le coffre. Marine vient de m'appeler, elle était en train de faire les boutiques pour la petite. Elle a réussi à obtenir une place à Diego et Edgar dans la maison de retraite où elle travaille avec Greg. Ils partageront le même appartement, ils sont ravis. Biarritz n'est pas très loin d'ici, on pourra même aller les voir !

Le sourire de maman devient réel, pour la première fois depuis ce matin. Allégée par ce dénouement heureux pour les papys, je m'assois à l'arrière, près de la vitre, et je regarde défiler ce paysage que je connais par cœur. Maman glisse son bras sur le côté du siège et me caresse la cuisse. Je saisis sa main et la serre fort. Tu vas me manquer, mamounette.

J'ai peur, bien sûr. Pour quelqu'un qui souffre d'un sentiment de solitude, être au bout du monde sans connaître quiconque risque d'être compliqué. Mais je me sens prête. J'ai toujours ce besoin d'être aimée, je crois qu'il ne me quittera jamais, en revanche je ne ressens plus cette nécessité d'être approuvée. Je dois me suffire.

Je tiens à vous remercier, du fond du cœur, de votre présence ces derniers mois. Vos mots, votre soutien, vos remarques m'ont beaucoup apporté. Sans se connaître, vous m'avez aidée à grandir. J'ai compris que l'on est nombreux à avoir des ressentis semblables et, surtout, que ce n'est pas grave quand ce n'est pas le cas.

Il est temps que je vous dise au revoir. J'arrête d'écrire ma vie, je vais la vivre.

Je laisse le blog en ligne, il sera peut-être utile à quelqu'un qui traverse cette zone de turbulences que l'on nomme l'adolescence.

Et, qui sait, peut-être que l'on se croisera un jour, pour de vrai, sans le savoir. À Sydney, à Toulouse ou ailleurs.

Je vous embrasse.

Chloé

Lily

25 août

Chère Josiane,

Je m'appelle Lily et j'ai douze ans. Avant, j'avais un journal qui s'appelait Marcel, mais il est fini. Au début, je ne voulais pas le remplacer, j'avais peur qu'il le prenne mal, mais je t'ai trouvée dans un rayon, toute seule, je t'ai entendue m'appeler. Je vous ai présentés, il a eu l'air de bien t'aimer.

Au fait, tu t'appelles Josiane parce que tu es carrée, comme le menton de Josiane, la dame de la cantine.

Bref, assez parlé, l'heure est grave. On est en route pour l'aéroport. Ma sœur s'en va à Sydney, en Australie. Sur Internet, ils disent que c'est à 17 000 kilomètres à vol d'oiseau, je me demande comment ils le savent, peut-être qu'ils ont donné un double décimètre à un oiseau pour qu'il mesure. Bref, ma sœur sera loin. J'espère qu'on restera quand même sur la même longueur d'ongle. Bon, d'accord, on se dispute beaucoup (c'est normal, ma sœur a souvent tort et moi souvent raison, ça peut pas coller), mais je l'aime beaucoup.

On a pris la voiture de Julien, parce qu'elle est plus grande, alors on pouvait tous y monter. Noé est à côté de moi, il regarde la route. Il a le caillou tout doux que je lui ai donné dans la main, il ne le lâche plus. J'étais trop contente quand ma mère nous a annoncé qu'elle était en couple avec Julien ! On les voit presque tous les week-ends, on se promène dans les bois, on va au lac, parfois on fait rien et c'est bien aussi. J'aimerais bien qu'on habite ensemble, mais ma mère dit qu'il faut prendre le temps de bien faire les choses. Je comprends pas trop, parce qu'on peut mal faire les choses même si on prend le temps, mais apparemment elle est décidée. Du coup, je vais profiter de notre famille réduite en attendant d'avoir une grande famille. Maintenant, Noé, c'est comme mon frère, sauf qu'on n'a pas des reins compatibles. Il m'apprend beaucoup de choses, tu sais. Avant, quand les gens disaient que j'étais différente, j'aimais pas trop, j'avais l'impression d'être dans un jeu « trouvez l'intrus ». Mais finalement, je veux toujours rester différente. Je ne veux jamais devenir comme les autres. C'est bête d'être les autres alors qu'on est soi.

Allez, Josiane, je vais te laisser, je préfère rester avec ma sœur tant qu'elle est là.

Bisous
Lily
P-S : j'en peux plus de cette chaleur. Cette nuit, j'ai laissé le frigo ouvert pour rafraîchir, ma mère n'a pas trop trop apprécié, je te dis pas.

Anna

C'est l'heure de l'embarquement. Julien et Noé
ont fait leurs adieux à Chloé et se sont éloignés pour
nous laisser seules. Je souris, comme si on n'était pas
en train de me piétiner le cœur.

Il y a dix-huit ans, on posait sur moi un être de
quarante-neuf centimètres, qui a immédiatement pris
toute la place. À l'instant où ma fille poussait son premier cri, je redoutais déjà celui où elle partirait. Un
mètre et quinze centimètres plus tard, nous y sommes.
J'espère que je parviendrai à avancer sans tomber
dans le vide qu'elle va laisser.

Je caresse la joue de mon tout petit bébé, elle s'assure que personne ne m'a vue faire.

— Ça va être génial, ma puce.

— Je sais, répond-elle en essuyant une larme qui
s'est échappée. Mais vous allez me manquer.

Lily se jette dans les bras de sa sœur, la serre fort,
puis recule presque aussitôt.

— Tiens, c'est un porte-bonheur, murmure-t-elle
en lui glissant un caillou blanc dans la main. Je l'ai
ramassé sur le parking de la cité, comme ça t'auras un
peu de chez nous chez toi.

Mon petit Poucet de l'amour.

Chloé caresse le caillou et le range dans sa poche, puis désigne du menton Julien et Noé.

— Ils vont combler mon absence, ça va aller !

— Personne ne comblera ton absence, Chloé.

— Tu parles ! Depuis un an, tu as dû t'attacher à lui, fait-elle en riant.

Il me regarde de loin, l'air inquiet. Il sait combien j'ai mal.

Je repense au moment où nous avons officialisé notre couple auprès de nos enfants. Les filles m'ont fait répéter trois fois. Elles pensaient que c'était une blague. Elles se sont repassé le film et, chaque fois qu'un indice leur revenait, elles lâchaient un cri. Une fois la surprise passée, elles ont assuré qu'elles l'avaient deviné, mais qu'elles n'avaient rien dit pour ne pas gâcher notre plaisir.

« Dernier appel pour les passagers du vol Air France 1024 à destination de Singapour, embarquement immédiat porte 17. »

Chloé rive son regard au mien, j'y lis un mélange d'appréhension et de détermination. Elle se jette à mon cou et m'étreint de toutes ses forces. Les petits bras de Lily viennent nous entourer, nous restons plusieurs secondes ainsi, à prendre notre charge d'amour.

— Je suis tellement fière de la personne que tu es devenue, ma grande.

— C'est grâce à toi, maman.

Lentement, elle se défait de notre étreinte, essuie ses joues et s'éloigne, après avoir glissé une photo dans ma main. Je la suis des yeux jusqu'à ce que sa silhouette brouillée disparaisse, puis je découvre le cliché.

C'est un selfie de nous trois au Vigelandsparken de Stockholm. Derrière nous se dresse la statue que nous avions tant aimée, représentant une mère portant son enfant tout contre elle. Lily tire la langue, Chloé louche et je ris aux éclats.

Ce voyage n'a rien changé. À notre retour, les factures étaient toujours là, les ennuis aussi, je n'avais pas de travail, Lily avait des ennemis, Chloé des démons. Les choses n'ont pas changé. Nous, oui.

Même à 17 000 kilomètres, nous serons ensemble.

Même quand elles auront cinquante ans, nous serons ensemble.

Nous possédons quelque chose qui ne disparaîtra jamais.

Nous sommes une famille.

FIN

REMERCIEMENTS

Récemment, une lectrice m'a demandé de remercier les personnes qui m'entourent de me permettre d'écrire. J'ai été profondément touchée, parce que, comme elle, je crois que, si je peux raconter ces histoires-là, si je peux ressentir ces émotions et poser des mots dessus, c'est parce que je suis entourée de personnes qui me le permettent.

Habituellement, mes remerciements concernent la contribution à un livre. Pour une fois, ils vont concerner la contribution à ma vie.

Puisque nous sommes tous à bord du même bus, qui avance inexorablement…

Comme une évidence, le premier merci te revient, ma chère maman. Il y a quarante ans, je grimpais à bord du bus. Tu m'y attendais. Merci de m'avoir tant donné. Merci d'avoir gardé le cap malgré les virages, les accidents et les pannes. Merci de m'avoir appris à regarder par la fenêtre et à y voir le beau. Merci de nous avoir laissé la plus grande place sur ton siège. Merci de nous avoir fait voyager sans quitter notre chez-nous. Merci d'avoir fait de nous trois une famille et d'avoir su nous lâcher la main en restant derrière nous, au cas où. Je n'aurais pu rêver meilleure mère que toi.

Merci Marie. Il paraît que, quelques jours avant ta naissance, j'ai affirmé que je ne t'aimerais jamais. Je me trompais tellement… Merci de nous avoir rejointes dans ce bus et d'être devenue ma petite sœur sans cheveux. Merci d'être si sensible, drôle, généreuse, râleuse, présente. Le fait que tu ignores à quel point tu es une belle personne te rend encore plus belle. Merci d'être celle qui chérit tous ces souvenirs avec moi.

Merci mon fils. Lorsque tu sauras lire, il se peut que tu trouves ces quelques lignes légèrement mièvres. Je n'y peux rien, quand je pense à toi, mon sang se transforme en miel. Le jour où tu es monté à bord du bus, tu as tout changé. Le ciel est devenu plus bleu, les paysages plus beaux, mes émotions plus fortes. Tout a pris sens. Je crois que, même si tu n'étais pas mon fils, je t'aimerais de tout mon cœur. Tu es drôle, gentil, attentionné, câlin, empathique, sensible et, surtout, tu aimes faire la grasse matinée. J'espère que le voyage sera long

Merci A. Tu n'es pas resté longtemps à bord du bus, mais c'est comme si tu y étais toujours. Depuis toi, j'ai quelque chose en moins, mais j'ai aussi quelque chose en plus. J'espère que tu es fier de moi. Tu me manques.

Merci mon amour. Tu es la personne la plus bienveillante que je connaisse, merci de m'avoir choisie pour faire le voyage à tes côtés. J'ai du mal à me souvenir comment il était, avant toi. Merci de rire à mes blagues pas toujours drôles, merci de me comprendre même quand tu ne peux pas, merci de m'écouter parler de mes personnages comme s'ils existaient vraiment et de ne pas prévenir les secours, merci pour tes idées, ton soutien, merci d'être heureux rien qu'en me voyant heureuse, merci d'être ce mari, ce papa. Quand j'étais petite, je croyais que Ken était l'homme idéal. Même pas besoin de prise de ju-jitsu, tu le mets au tapis direct.

Merci mamie et papy de n'être jamais loin, d'avoir toujours votre porte ouverte, et votre cœur aussi. Merci de me faire de bons petits plats quand je suis en phase intensive d'écriture. Merci de vivre cette aventure avec autant de joie. Merci papa d'être aussi fier. Merci Mimi d'être la tante la plus fun de l'univers. Merci Yanis, Lily, Gil, Céline, Guy, Madeleine, Nicolas, François, Marwan, Laëtitia, Héloïse, Anna, Antoine, Arthur, Claudine, Marc, Gilbert, Simone, Carole et les autres, famille je vous aime.

Merci Marine Climent pour tes retours de lecture qui me donnent des ailes, merci d'être mon amie depuis si longtemps (ma vieille). Merci Gaëlle Bredeville, ma chatonne, pour ton amitié, tes relectures, ton enthousiasme, ta folie, tes tajines (c'est quand le prochain ?). Merci Serena Giuliano Laktaf, Sophie Henrionnet et Cynthia Bavarde d'être devenues si précieuses, merci de votre bienveillance, nos fous rires, votre présence dans le bus. Merci Constance Trapenard de me donner l'impression d'être la personne la plus drôle et la plus pertinente de la planète. Merci Baptiste Beaulieu pour tes jolis mots et ton amitié, c'est bon de savoir que tu es là, si semblable. Merci Gavin's Clemente Ruiz pour tes photos de fesses et les *Guides du routard* qui m'ont bien aidée. Merci Camille Anseaume pour la personne que tu es et l'amitié que tu m'offres (même quand tu me piques du Basquella). Merci Marie Vareille pour ta lecture précise et juste, tes conseils précieux et nos papotages.

Merci aux équipes de Fayard de m'offrir la chance d'écrire ce que j'aime et de l'aimer à votre tour, merci de porter mes livres avant autant d'enthousiasme. Merci Alexandrine Duhin, au fil des ans tu es devenue plus que mon éditrice. Merci Sophie de Closets pour tes petits mots, manuscrits ou non, qui me touchent profondément. Merci Jérôme Laissus, Éléonore Delair, Martine Thibet,

Katy Fenech, Laurent Bertail, Pauline-Gertrude Faure, Valentine Baud, Carole Saudejaud, Ariane Foubert, Anna Lindblom, Lily Salter, Véronique Héron, Sandrine Paccher, Marie Lafitte, Marie-Félicia Mayonove.

Merci aux équipes du Livre de Poche pour votre énergie et votre gentillesse, et plus particulièrement ma chère Audrey Petit, la géniale Véronique Cardi, les adorables Sylvie Navellou, Anne Bouissy, Florence Mas, Jean-Marie Saubesty.

Merci ma chère France Thibault, mon attachante de presse, de te donner autant pour faire connaître mes livres.

Merci chers libraires. Lors de séances de dédicaces, j'ai été émue de constater votre passion, votre envie de proposer LE bon livre à chaque lecteur. C'est précieux pour nous, de savoir que nos histoires sont entre vos mains.

Merci aux équipes de représentants d'être les premiers messagers, et de fournir tant d'enthousiasme et de ferveur pour défendre mes livres.

Merci aux blogueurs de partager vos lectures avec passion. Je suis souvent touchée, impressionnée, galvanisée par vos mots quand ils concernent mes livres. Quand il s'agit d'autres livres, mon banquier vous apprécie nettement moins.

Un merci spécial à Fabien, alias Grand Corps Malade, d'avoir gentiment accepté de m'offrir ton titre « Il nous restera ça ». Un autre a finalement été choisi, mais ce cadeau m'a touchée. Comme tes textes le font chaque fois.

Enfin, une fois n'est pas coutume, je termine par vous, chers lecteurs. Ne dit-on pas que l'on garde le meilleur pour la fin ?

Ceux qui m'écrivent de longs messages, ceux qui viennent me rencontrer, ceux qui me lisent discrètement, ceux qui prêtent mes livres à leurs proches, ceux qui me glissent sous le sapin de Noël, ceux qui viennent me parler dans la rue, ceux qui recommandent mes livres à leurs patients, ceux qui m'envoient des photos, ceux qui rient à mes délires sur Instagram, ceux qui tombent sur mes livres par hasard, ceux qui me lisaient déjà sur le blog, ceux qui attendent les prochains, ceux qui commentent sur les réseaux sociaux, ceux qui lisent des passages à leur conjoint(e), ceux qui surlignent des passages, ceux qui cornent des pages, ceux qui relisent plusieurs fois, ceux qui s'identifient, ceux qui pleurent dans le métro, ceux qui éclatent de rire au bureau, ceux qui lisent mes lignes en maison de retraite, ceux qui se réunissent en clubs, ceux qui se font voler mon livre sur la plage, ceux qui m'offrent des spécialités de chez eux, ceux qui font découvrir mes histoires à leurs élèves, ceux qui comptent me lire bientôt, ceux que mes mots aident à passer des moments difficiles, ceux qui ont envie d'aller voir Biarritz, ceux qui n'ont plus peur de la vieillesse, ceux qui lisent en couple, ceux qui s'envoient des SMS pour échanger leurs impressions, ceux-là, et tous les autres…

Lorsque mon premier roman a été publié, je pensais qu'il serait vendu à quarante exemplaires, tous achetés par ma mère. Mais peu m'importait : j'avais réalisé mon rêve de petite fille.

Quelques années plus tard, quatre romans sont sortis et, chaque jour, je reçois des messages magnifiques (ma mère m'a promis qu'ils n'étaient pas d'elle). Même mon rêve de petite fille n'était pas si beau.

Merci à tous pour cette aventure fabuleuse, merci de me lire, de m'encourager, merci pour vos mots, vos sourires, vos larmes, vos confidences. Merci de vous être assis près de la petite fille rêveuse dans le bus. Le voyage avec vous est merveilleux.

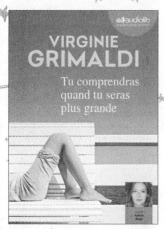

Le Livre de Poche s'engage pour
l'environnement en réduisant
l'empreinte carbone de ses livres.
Celle de cet exemplaire est de :

150 g éq. CO_2
Rendez-vous sur
www.livredepoche-durable.fr

PAPIER À BASE DE
FIBRES CERTIFIÉES

Composition réalisée par PCA

Achevé d'imprimer en France par
CPI BRODARD & TAUPIN (72200 La Flèche)
en octobre 2023
N° d'impression : 3054960
Dépôt légal 1re publication : janvier 2009
Édition 26 - novembre 2023
LIBRAIRIE GÉNÉRALE FRANÇAISE
21, rue du Montparnasse – 75298 Paris Cedex 06